KB018950

MD 중학영단어 실력편

초판 2쇄 2024년 01월 31일
지은이 : 문덕, 김형탁
인쇄 제본 총괄 : 창 미디어(070-8935-1879)
발행처 : 도서출판 지수
주소 : 서울시 마포구 토정로 222, 한국 출판 콘텐츠센타 417호
전화 : 02-717-6010
팩스 : 02-717-6012

ISBN 978-89-93432-23-7 [53740]
*잘못된 책은 구입한 서점에서 바꿔드립니다.

*책값은 표지에 있습니다.

Memory
Doctor

실력편

MD 중학영단어

MD 중학영단어가 출간된 후 세월이 5년을 훌쩍 넘기고 있다. 그 동안 MD 중학 영단어는 많은 중학생들과 초등학생들의 영단어 학습에 많은 도움을 주어 왔다고 자부한다. 다만 다음 시리즈인 〈MD 수능 VOCA〉의 학습으로 바로 넘어가기 전에 다리 역할을 해 줄 수 있는 교재에 대한 요구가 여러 채널을 통해 꾸준히 들어온 것도 사실이다. 이러한 요구에 이제야 답을 할 수 있게 되서 독자 여러분께 감사하면서도 죄송한 마음이 든다. 〈MD 중학 영단어 실력편〉은 〈MD 중학 영단어〉에서 배운 단어들 중에서 핵심적이면서도 까다로운 단어들을 추려서 다시 복습을 함과 동시에 고교 수준의 필수 어휘들을 포함하여 여러분의 중학수준의 어휘실력을 한 단계 레벨업 시켜줄 것이다. 이러한 목적을 위해 본서에서는 특별한 장치를 마련하였는데 책의 곳곳에 예쁜 풍선모양의 tip들이 바로 그것이다. 풍선에 담긴 내용들은 크게 두가지로서 하나는 다음 〈MD 수능 VOCA〉에서 본격적으로 학습하게 될 '어원(origin)'을 미리 맛을 봄으로써 어휘학습의 새로운 가능성을 깨닫게 하는 것이고 다른 하나는 중요 단어들의 동의어들을 한꺼번에 제시함으로써 내신대비에 좀 더 만전을 기하게 하는 것이다. 아무쪼록 본서를 통해서 중학 수준의 어휘력을 완벽히 보완하는 성취를 이룰 것을 기원한다.

뿌린대로 거두리라....

2023.02.28.
문덕, 김형탁.

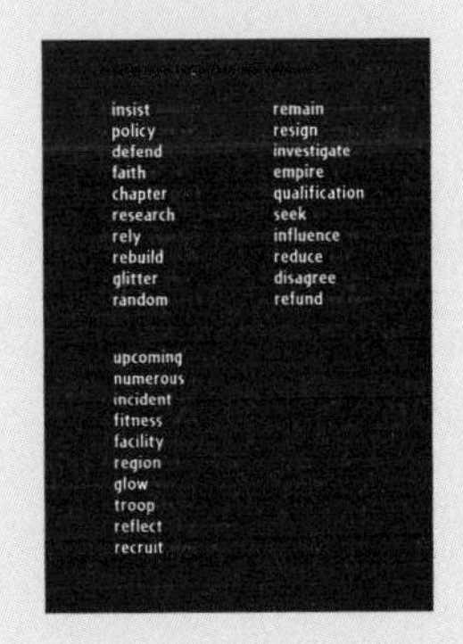

insist policy defend faith chapter research rely rebuild glitter random

remain resign investigate empire qualification seek influence reduce disagree refund

upcoming numerous incident fitness facility region glow troop reflect recruit

❶ 엄선된 List

핵심적이면서도 까다로운 중학수준의 영단어와 고교 수준에서 가장 빈출이 되는 영단어 900여개를 엄선하여 수록하였다.

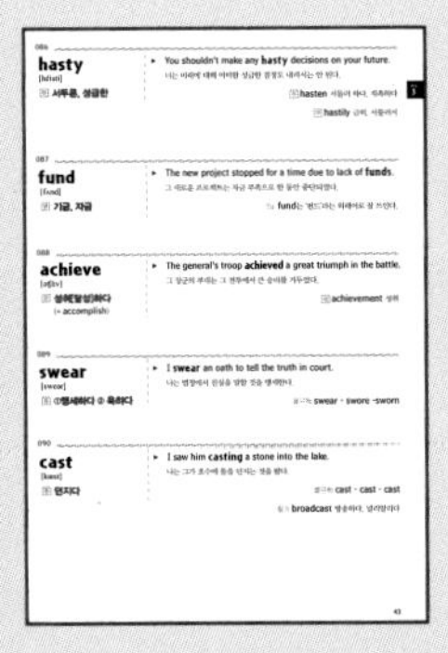

hasty — You shouldn't make any hasty decisions on your future.

fund — The new project stopped for a time due to lack of funds.

achieve — The general's troop achieved a great triumph in the battle.

swear — I swear an oath to tell the truth in court.

cast — I saw him casting a stone into the lake.

❷ 선명한 의미와 예문

목표 어휘를 가장 효율적으로 익힐 수 있도록 간결하면서도 정확한 한글 의미를 제시하였고 또한 그 단어의 독해 내에서의 쓰임을 이해하고 동시에 오래 기억될 수 있도록 해당 단어에 가장 전형적인 예문을 수록하였다.

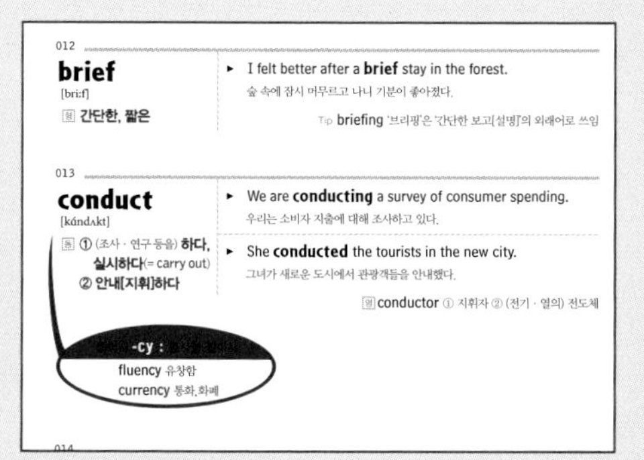

012

brief
[bri:f]
형 간단한, 짧은

▸ I felt better after a **brief** stay in the forest.
숲 속에 잠시 머무르고 나니 기분이 좋아졌다.

Tip briefing '브리핑'은 '간단한 보고[설명]'의 외래어로 쓰임

013

conduct
[kándʌkt]
동 ① (조사 · 연구 등을) **하다, 실시하다**(= carry out)
② **안내[지휘]하다**

▸ We are **conducting** a survey of consumer spending.
우리는 소비자 지출에 대해 조사하고 있다.

▸ She **conducted** the tourists in the new city.
그녀가 새로운 도시에서 관광객들을 안내했다.

명 conductor ① 지휘자 ② (전기 · 열의) 전도체

-cy
fluency 유창함
currency 통화,화폐

❸ 특효약과 같은 tip 풍선

고교 수준의 어휘들에서 가장 많이 쓰이는 접두사(prefix), 어근(root), 접미사(suffix)들이 포함된 어휘와 함께 그 어원에 대한 설명과 함께 추가적인 어휘들을 제시하여 어원에 대한 선행학습과 해당 어휘의 암기와 이해에 큰 도움을 주고자 하였다. 또한 중요 단어의 동의어나 유의어들을 제시함으로써 까다롭게 출제되는 유형의 학교들의 내신 대비에도 도움이 될 것이다.

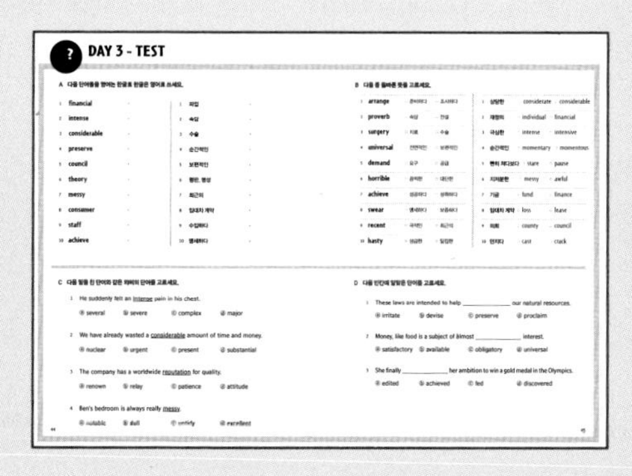

DAY 3 - TEST

A

1 financial
2 intense
3 considerable
4 preserve
5 council
6 theory
7 messy
8 consumer
9 staff
10 achieve

B

1 arrange
2 proverb
3 surgery
4 universal
5 demand
6 horrible
7 achieve
8 swear
9 recent
10 hasty

1 considerate considerable
2 individual financial
3 intense intensive
4 momentary momentous
5 stare pause
6 messy awful
7 fund finance
8 loss lease
9 county council
10 cast crack

C

1 He suddenly felt an intense pain in his chest.
ⓐ several ⓑ severe ⓒ complex ⓓ major

2 We have already wasted a considerable amount of time and money.
ⓐ nuclear ⓑ urgent ⓒ present ⓓ substantial

3 The company has a worldwide reputation for quality.
ⓐ renown ⓑ relay ⓒ patience ⓓ attitude

4 Ben's bedroom is always really messy.

D

1 These laws are intended to help ______ our natural resources.
ⓐ irritate ⓑ devise ⓒ preserve ⓓ proclaim

2 Money, like food is a subject of almost ______ interest.
ⓐ satisfactory ⓑ available ⓒ obligatory ⓓ universal

3 She finally ______ her ambition to win a gold medal in the Olympics.
ⓐ edited ⓑ achieved ⓒ fed ⓓ discovered

❹ 풍부하고 효율적인 복습 Test

단순한 객관식형 복습 test가 아닌 '영한', '한영' 의미 테스트는 물론 동의어 선택 객관식과 심지어 빈칸완성형 test를 준비하였으니 반드시 학습 이후에 복습 테스트를 풀어보면 더욱 실력을 배가시킬 수 있을 것이다.

Contents

사용되는 기호들

»

동 동사 명 명사 형 형용사

부 부사 전 전치사

접 접속사

비교 : 표제어와 비교되는 단어

Tip : 추가로 알아야 할 정보

참고 : 참고로 알아둘 단어

모음 vowel

쉬운 모음

[ɑ]	ㅏ	body[bádi] 몸 box[baks] 박스
[e]	ㅔ	air[eər] 공기 net[net] 그물
[i]	ㅣ	lip[lip] 입술 hill[hil] 언덕
[o]	ㅗ	home[houm] 집 snow[snou] 눈
[u]	ㅜ	look[luk] 보다 full[ful] 가득찬

주의 해야 할 모음

[ə]	ㅓ 약하게	asleep[əslíːp] 잠이든 girl[gəːrl] 여자아이
[ʌ]	ㅓ 강하게	son[sʌn] 아들 cut[kʌt] 자르다
[ɔ]	ㅗ/ㅏ 중간	dog[dɔːg] 개 fall[fɔːl] 떨어지다
[ɛ]	ㅔ	bear[bɛər] 곰 care[kɛər] 신경쓰다
[æ]	ㅐ 입술을 좌우로 길게 벌리고	apple[ǽpl] 사과 bad[bæd] 나쁜
[ː]	모음길게	moon[muːn] 달 beat[biːt] 치다

강세 accent

necessary [nésəsèri] 필요한 (제1강세: é, 제2강세: è)	**international** [ìntərnǽʃənəl] 국제적인 (제2강세: ì, 제1강세: ǽ)

자음 consonant

쉬운 자음

[b]	ㅂ	boy[bɔi] 소년 bed[bed] 침대
[d]	ㄷ	dish[diʃ] 접시 dinner[dínər] 저녁 식사
[g]	ㄱ	game[geim] 게임, 경기 green[gri:n] 녹색
[h]	ㅎ	hair[hɛər] 머리카락 hat[hæt] 모자
[k]	ㅋ	kind[kaind] 친절한 cake[keik] 케이크
[l]	ㄹ	lady[léidi] 숙녀 line[lain] 선, 줄
[m]	ㅁ	man[mæn] 사람, 남자 mother[mʌðer] 어머니
[n]	ㄴ	nine[nain] 아홉 neck[nek] 목
[p]	ㅍ	pie[pai] 파이 pine[pain] 소나무
[s]	ㅅ	sun[sʌn] 태양 spoon[spu:n] 숟가락
[t]	ㅌ	tea[ti:] 차 table[téibl] 탁자

주의 해야 할 자음

[w]	ㅜ	입모양을 동그랗게 앞으로 내밀며	wind[wind] 바람 woman[wúmən] 여자
[r]	ㄹ	'l'과 달리 입천장에 혀가 닿지 않게	roof[ru:f] 지붕 arm[a:rm] 팔
[f]	ㅍ/ㅎ 중간	윗니를 아랫입술에 살짝대고	father[fá:ðər] 아버지 fine[fain] 좋은
[v]	ㅂ	윗니를 아랫입술에 살짝대고	very[véri] 매우 view[vju:] 시야
[θ]	쓰	이 사이에 혀를 살짝 물었다 빼며	three[θri:] 셋 think[θiŋk] 생각하다
[ð]	드	혀가 윗니에 살짝닿게	this[ðis] 이것 brother[brʌ́ðər] 형제
[z]	ㅈ	우리말 'ㅅ'을 성대를 떨며 발음	zebra[zí:brə] 얼룩말 zoo[zu:] 동물원

[ʒ]	쥐	pleasure[pléʒər] 기쁨 usual[jú:ʒuəl] 평소의
[dʒ]	짧게 쥐	juice[dʒu:s] 쥬스 age[eidʒ] 나이
[ʃ]	쉬	sure[ʃuər] 확실한 nation[néiʃən] 국가
[tʃ]	짧게 취	chair[tʃɛər] 의자 nature[néitʃər] 자연
[ŋ]	받침 ㅇ	song[sɔ́:ŋ] 노래 bring[briŋ] 가져오다
[ja]	ㅑ	yard[ja:rd] 마당, 뜰
[jʌ]	ㅕ	young[jʌŋ] 젊은
[je]	ㅖ	yellow[jélou] 노랑
[jɔ]	ㅛ	yawn[jɔ:n] 하품하다
[ju]	ㅠ	you[ju] 너

100% 암기를 가능케 하는
비법이 담긴

중학 영단어 900

day 1

» 001

030

오늘 학습할 필수 단어입니다. 눈으로 스캔하며 모르거나 헷갈리는 단어에 체크하세요.

- □ **acquire** 얻다, 습득하다
- □ **anniversary** 기념일
- □ **crisis** 위기
- □ **employ** 고용하다
- □ **recommend** 추천하다
- □ **survey** 조사, 조망
- □ **reveal** 드러내다, 밝히다
- □ **request** 요청, 요구
- □ **standard** 기준, 표준
- □ **vivid** 생생한
- □ **initial** 처음의, 초기의
- □ **brief** 간단한, 짧은
- □ **conduct** 실시하다, 지휘하다
- □ **chance** 우연, 기회
- □ **factor** 요인, 요소
- □ **debate** 토론, 토론하다
- □ **essential** 본질적인, 필수적인
- □ **persuade** 설득하다
- □ **equipment** 장비, 장치
- □ **utilize** 이용하다, 활용하다

- □ **boast** 자랑하다
- □ **relation** 관계
- □ **annual** 매년의
- □ **expend** (돈 · 시간을) 소비하다
- □ **correct** 정확한; 바로잡다
- □ **complex** 복잡한
- □ **absent** 결석한
- □ **common** 공통의, 흔한
- □ **rare** 드문, 희귀한
- □ **notice** 공지; 알아차리다

001

acquire
[əkwáiər]

동 얻다, 습득하다

▸ How can she **acquire** a good grade on the math test?
어떻게 그녀는 수학 시험에서 좋은 성적을 얻는 걸까?

명 acquisition 습득

형 acquisitive 욕심 많은

002

anniversary
[ænəvə́:rsəri]

명 기념일

▸ My husband doesn't remember our wedding **anniversary**.
내 남편은 우리의 결혼기념일을 기억하지 못한다.

003

crisis
[kráisis]

명 위기

▸ We must get over the economic **crisis**.
우리는 경제 위기를 극복해야 한다.

Tip crisis의 복수 → crises

004

employ
[implɔ́i]

동 ① 고용하다(= hire)
② 사용하다(= use)

▸ The company **employs** over 2,000 people.
그 회사는 2,000명 이상의 직원들을 고용하고 있다.

명 employment 고용 ↔ unemployment 실업

형 self-employed 영업을 하는

005

recommend
[rèkəménd]

동 추천하다, 권장하다

▸ Let me **recommend** a good book for you.
내가 널 위해 좋은 책 한 권 추천해줄게.

명 recommendation 추천(서)

006

survey
[sərvéi]
명 조사, 조망 , 설문조사
동 살피다, 점검하다
(= check)

▸ We conducted a **survey** on immigrants' living conditions.
우리는 이민자들의 생활 실태를 조사했다.

▸ The magazine **surveyed** its readers on their eating habits.
그 잡지는 독자들의 식습관에 관해 조사했다.

007

reveal
[riví:l]
동 드러내다, 밝히다
(= disclose, divulge)

▸ The detective has tried to **reveal** the truth.
그 형사는 진실을 밝히기 위해 노력해왔다.

명 revelation 폭로, 드러냄

008

request
[rikwést]
명 요청, 요구
동 요구[요청]하다
(= ask for)

▸ I don't know how to refuse his polite **request**.
나는 그의 정중한 요청을 어떻게 거절해야 할 지 모르겠다.

▸ We **requested** him **to** attend the meeting.
우리는 그에게 회의에 참석해달라고 요청했다.

동 require 요구하다, 필요로 하다

009

standard
[stǽndərd]
명 기준, 표준
(= norm, criterion)

▸ The school set a safety **standard** for the students.
그 학교는 학생들을 위한 안전 기준을 정했다.

동 standardize 표준화하다

010

vivid
[vívid]
형 생생한(= graphic)

어근 viv : 생명
survival 생존하다
vitamin 비타민
revive 부활하다

▸ I still have **vivid** memories of the terrible accident.
나는 아직도 그 끔찍한 사고가 생생히 기억난다.

명 vividness 생생함

011

initial

[iníʃəl]

형 **처음의, 초기의**

▸ The **initial** symptom of the disease is fever and headache.
그 병의 초기 증세는 발열과 두통이다.

부 initially 처음에, 원래

동 initiate 시작하다

012

brief

[bri:f]

형 **간단한, 짧은**

▸ I felt better after a **brief** stay in the forest.
숲 속에 잠시 머무르고 나니 기분이 좋아졌다.

Tip briefing '브리핑'은 '간단한 보고[설명]'의 외래어로 쓰임

013

conduct

[kándʌkt]

동 ① (조사 · 연구 등을) **하다, 실시하다**(= carry out)
② **안내[지휘]하다**

▸ We are **conducting** a survey of consumer spending.
우리는 소비자 지출에 대해 조사하고 있다.

▸ She **conducted** the tourists in the new city.
그녀가 새로운 도시에서 관광객들을 안내했다.

명 conductor ① 지휘자 ② (전기 · 열의) 전도체

접미사 -cy : 명사형 접미사
fluency 유창함
currency 통화, 화폐

014

chance

[tʃæns]

명 ① **우연**(= accident)
② **기회**(= opportunity)

▸ I met her in the street **by chance**.
나는 길에서 그녀를 우연히 만났다.

▸ I don't want to miss this **chance**.
난 이번 기회를 놓치고 싶지 않다.

Tip a chance meeting 우연한 만남

015

factor

[fǽktər]

명 **요인, 요소**(= component)

▸ I want to know the key **factor** in his success.
나는 그의 성공의 주된 요인을 알고 싶다.

016

debate
[dibéit]

동 **토론하다, 논쟁하다**

명 **토론, 논의**

▸ We will **debate** whether to ban the death penalty.
우리는 사형을 금지할 것인지에 대해 토론할 것이다.

▸ Gun control is at the center of the heated **debate**.
총기 규제가 열띤 토론의 중심에 있다.

017

essential
[isénʃəl]

형 **필수적인, 본질적인**
(= vital)

▸ Water is **essential** for all living things.
물은 모든 생물들에게 필수적이다.

명 essence 본질

018

persuade
[pərswéid]

동 **설득하다**

▸ Mom **persuaded** me **to** make up with the friend.
엄마는 나에게 그 친구와 화해하라고 설득했다.

명 persuasion 설득

형 persuasive 설득력 있는

019

equipment
[ikwípmənt]

명 **장비, 장치**

▸ He put camping **equipment** into the car trunk.
그는 캠핑 장비를 차 트렁크에 넣었다.

동 equip 장비를 갖추다

참고 tool 도구 gear 기어, 장비

접미어 ment : 명사 형성

development 개발, 발달
amusement 오락, 놀이

020

utilize
[jú:təlàiz]

동 **활용하다, 이용하다**

▸ We can **utilize** the sun as a source of energy.
우리는 태양을 에너지원으로 이용할 수 있다.

명 utility ① 유용성 ② (수도 · 전기 같은) 공익사업

동 use 이용하다
make use of 이용하다
take advantage of 이용하다

021

boast
[boust]

동 **자랑하다**

(= brag, show off)

▸ She **boasts** to her friends about her son's salary.
그녀는 친구들에게 아들의 연봉에 대해 자랑한다.

형 boastful 자랑하는

022

relation
[riléiʃən]

명 **관계**

(= relationship)

▸ **Relations** between the two countries have improved recently.
양국 간의 관계가 최근에 개선되었다.

동 relate 관련시키다

명 relative 친척

023

annual
[ǽnjuəl]

형 **매년의**(= yearly)

▸ We are collecting various data for the **annual** report.
우리는 연례 보고서를 위해 다양한 자료를 수집하고 있다.

024

expend
[ikspénd]

동 (돈 · 시간을) **소비하다**

(= spendy)

▸ The government has **expended** a lot of time and effort to reduce a crime.
정부는 범죄를 줄이기 위해 많은 시간과 노력을 들여왔다.

명 expense 비용

명 expenditure 지출

비교 expand 확장[팽창]하다
extend 연장하다, 늘리다

025

correct
[kərékt]

형 **맞는, 옳은**

(↔ incorrect 부정확한)

동 **바로잡다, 수정하다**

▸ Do you know the **correct** answer to this question?
너는 이 문제의 정확한 답을 아니?

▸ I **corrected** the spelling error. 나는 스펠링 오류를 바로잡았다.

명 correction 정정, 수정

Tip 틀린 글자를 바로잡을 때 쓰는 '수정테이프'가 영어로 correction tape

026

complex
[kəmpléks]
형 **복잡한**

▸ The human brain has a **complex** structure.
인간의 뇌는 복잡한 구조를 갖고 있다.

명 complexity 복잡함

027

absent
[ǽbsənt]
형 **결석한** (↔present 출석한)

접두사 ab- : 멀리
abnormal 비정상적인
abhor 혐오하다

▸ John was **absent from** school yesterday because of sickness. 존은 어제 아파서 학교에 결석했다.

명 absence 결석

028

common
[kámən]
형 **① 공동[공통]의**
② 흔한

▸ We have cooperated for our **common** goal.
우리는 공동의 목표를 위해 협력해 왔다.

▸ Floods are fairly **common** in the country.
홍수는 그 나라에서 꽤나 흔하다.

확장 community 공동체; 지역 사회

Tip common sense 상식

029

rare
[rɛər]
형 **드문, 희귀한**

▸ The child had the **rare** opportunity to meet the President. 그 아이는 대통령을 만나는 드문 기회를 얻었다.

부 rarely 드물게, 좀처럼 ~하지 않는

030

notice
[nóutis]
명 **공지, 안내(문)**
동 **알아차리다, 발견하다**

▸ There is a **notice** on the wall saying "No FOOD OR DRINK".
벽에 "음식 또는 음료 금지"라는 안내문이 붙어 있다.

▸ I didn't **notice** that she was crying in her room.
나는 그녀가 방에서 울고 있는 것을 알아차리지 못했다.

형 noticeable 뚜렷한, 분명한

DAY 1 - TEST

A 다음 단어들을 영어는 한글로 한글은 영어로 쓰세요.

1 acquire •
2 anniversary •
3 survey •
4 debate •
5 equipment •
6 annual •
7 complex •
8 absent •
9 rare •
10 notice •

1 위기 •
2 추천하다 •
3 요청 •
4 생생한 •
5 간단한 •
6 본질적인 •
7 설득하다 •
8 관계 •
9 공통의 •
10 고용하다 •

C 다음 밑줄 친 단어와 같은 의미의 단어를 고르세요.

1 1. The university acquired a reputation for very high standards.

ⓐ contained ⓑ obtained ⓒ detained ⓓ sustained

2 We had to employ a lawyer to review the contract.

ⓐ hide ⓑ grant ⓒ hire ⓓ confine

3 He was executed for revealing secrets to the enemy.

ⓐdisclosing ⓑ assuming ⓒ confusing ⓓ interrupting

4 The government permitted the company to utilize the mineral resources.

ⓐ release ⓑ glow ⓒ use ⓓ conquer

B 다음 중 올바른 뜻을 고르세요.

1	**crisis**	□ 위험	□ 위기
2	**employ**	□ 고용하다	□ 해고하다
3	**recommend**	□ 추천하다	□ 추구하다
4	**conduct**	□ 지휘하다	□ 토론하다
5	**essential**	□ 본질적인	□ 실질적인
6	**vivid**	□ 정확한	□ 생생한
7	**initial**	□ 근본적인	□ 초기의
8	**reveal**	□ 드러내다	□ 감추다
9	**brief**	□ 간단한	□ 복잡한
10	**debate**	□ 본론	□ 토론

1	**매년의**	□ annual	□ peculiar
2	**소비하다**	□ expend	□ expand
3	**정확한**	□ direct	□ correct
4	**결석한**	□ absent	□ present
5	**드문**	□ common	□ rare
6	**관계**	□ relation	□ relative
7	**공지**	□ notion	□ notice
8	**설득하다**	□ persuade	□ regulate
9	**활용하다**	□ confuse	□ utilize
10	**표준**	□ standard	□ accord

D 다음 빈칸에 알맞은 단어를 고르세요.

1 Government support will be ______________ if the project is to succeed.

ⓐ essential ⓑ efficient ⓒ offensive ⓓ innocent

2 Scientists eventually proved a ______________ between smoking and lung cancer.

ⓐ fascination ⓑ impact ⓒ reminder ⓓ relation

3 Most people blame the government for the country's worsening economic ___________.

ⓐ detection ⓑ crisis ⓒ authority ⓓ witness

day 2

» 031

060

오늘 학습할 필수 단어입니다. 눈으로 스캔하며 모르거나 헷갈리는 단어에 체크하세요.

- □ **insist** 주장하다
- □ **policy** 정책, 방침
- □ **defend** 방어하다, 수비하다
- □ **faith** 믿음, 신뢰
- □ **chapter** (책의) 장
- □ **research** 연구, 조사하다
- □ **rely** 의지[의존]하다
- □ **rebuild** 다시 짓다
- □ **glitter** 반짝이다
- □ **random** 무작위의
- □ **remain** ① 남아 있다 ② 계속~이다
- □ **resign** 사임하다
- □ **investigate** 수사[조사]하다
- □ **empire** 제국
- □ **qualification** 자격
- □ **seek** 찾다
- □ **influence** 영향
- □ **reduce** 줄이다
- □ **disagree** 반대하다
- □ **refund** 환불, 환불하다

- □ **upcoming** 다가오는
- □ **numerous** 많은
- □ **incident** 사건
- □ **fitness** 신체 단련
- □ **facility** (편의) 시설
- □ **region** 지역
- □ **glow** 빛나다
- □ **troop** 병력, 군대
- □ **reflect** ① 반사하다 ② 반영하다
- □ **recruit** 채용하다, 신병

031

insist

[insíst]

동 **주장하다**

▸ The suspect **insists on** his innocence.
그 용의자는 자신의 결백을 주장한다.

▸ The suspect **insists that** he is innocent.
그 용의자는 자신의 결백하다고 주장한다.

명 insistence 주장, 고집

어근 sist : 서있다(stand)

assist 돕다
resist 저항하다
consist 구성되다

032

policy

[páləsi]

명 **정책, 방침**

▸ The government has developed a new education **policy**.
정부는 새로운 교육 정책을 개발했다.

033

defend

[difénd]

동 **방어하다, 수비하다**

▸ We must **defend** the territory against the enemy.
우리는 적에 맞서 영토를 방어해야 한다.

명 defense ① 방어 ② 변호

형 defensive 방어[수비]의

명 defendant 피고

034

faith

[feiθ]

명 **믿음, 신뢰**
(= trust, belief)

▸ My parents have always had **faith** in me.
부모님은 항상 나를 믿어 주셨다.

형 faithful 충실한

035

chapter

[tʃǽptər]

명 (책의) **장**

▸ The main character is described in the first **chapter** of the book. 주인공이 책의 첫 번째 장에 묘사되어있다.

036

research
[ríːsəːrtʃ]

명 연구, 조사

동 연구[조사]하다

- She's carrying out **research** into the language of animals.
  그녀는 동물들의 언어에 관한 연구를 하고 있다.
- He's **researching** into possible cures for cancer.
  그는 암에 대한 가능한 치료법을 연구하고 있다.

037

rely
[rilái]

동 의지[의존]하다
(= depend on)

- She **relies on** her parents to take care of her children.
  그녀는 아이들을 돌보기 위해 부모님에게 의존한다.

명 reliance 의존, 의지

형 reliable 믿을 수 있는

038

rebuild
[riːbíld]

동 다시 짓다[세우다]

- They **rebuilt** the church after it was destroyed by a fire.
  그들은 화재로 교회가 소실된 후에 교회를 다시 지었다.

명 rebuilding 재건

접두사 re : ① 뒤로 ② 다시
① repay 갚다
② reform 개혁하다

039

glitter
[glítər]

동 반짝이다, 반짝반짝 빛나다(= twinkle)

- The lake is **glittering** in the sunlight.
  호수가 햇빛에 반짝이고 있다.

040

random
[rǽndəm]

형 무작위의, 임의의

- **random** choice 무작위 선택
- The researcher selected a **random** sample of 30 students.
  그 연구자는 무작위로 30명의 학생들 표본을 선정했다.

부 randomly 무작위로, 임의로(= at random)

041

remain

[riméin]

동 ① 남아 있다
② 계속[여전히] ~ 이다

▸ The patient should **remain** in bed for a few days.
그 환자는 며칠 동안 침대에 누워 있어야 한다.

▸ The students **remained** quiet during the service.
학생들이 예배 시간 중에 조용히 있었다.

명 remainder 나머지

042

resign

[rizáin]

동 사임하다, 물러나다

▸ The representative was forced to **resign** after the scandal.
그 대표는 스캔들 이후 사임할 수밖에 없었다.

명 resignation 사임, 사직(서)

043

investigate

[invéstəgèit]

동 수사[조사]하다
(= inspect, look into)

▸ The police **investigated** the cause of the car crash.
경찰은 그 자동차 충돌 사고의 원인을 조사했다.

명 investigation 조사

044

empire

[émpaiər]

명 제국

▸ The Roman **Empire** was not built in a day.
로마 제국은 하루 아침에 이루어지지 않았다.

형 imperial 제국의, 황제의

Tip empire는 emperor '황제'에서 유래됨

045

qualification

[kwɑ̀ləfikéiʃən]

명 자격, 자질

▸ You'll get a good job if you have a necessary **qualification**.
필요한 자격을 갖추고 있다면 좋은 일자리를 얻을 수 있을 거예요.

명 quality 질, 양질

동 qualify 자격을 주다

비교 certificate 자격증, 증명서

046

seek
[si:k]

동 **찾다, 구하다**
(= look for)

▸ The orphanage is **seeking** donations and volunteers.
그 고아원은 기부와 자원봉사자들을 찾고 있다.

참고 hide-and-seek 숨바꼭질

불규칙 seek - sought - sought

047

influence
[ínfluəns]

명 **영향** (= effect, impact)

어근 flu : 흐르다
influenza 독감
fluent 유행한

▸ Parents have a lot of **influence on** their children.
부모는 아이들에게 많은 영향을 끼친다.

형 influential 영향력 있는

명 influencer 영향력이 있는 사람, 인플루언서

048

reduce
[ridjú:s]

동 **줄이다, 낮추다**
(= decrease, lessen, diminish)

▸ We have done our best to **reduce** crime.
우리는 범죄를 줄이기 위해 최선을 다해왔다.

명 reduction 감소

049

disagree
[dìsəgríː]

동 **동의하지 않다, 반대하다**(= oppose, object to)

▸ I strongly **disagree with** his opinion.
나는 그의 의견에 강하게 반대한다.

명 disagreement 의견 차이

050

refund
[rifʌ́nd]

명 **환불**

동 **환불하다**

▸ The shop refused to give me a **refund**.
그 가게는 나에게 환불해주기를 거부했다.

▸ We will **refund** you the purchase price.
저희가 당신께 구매 가격을 환불해드리겠습니다.

051

upcoming
[ʌ́pkʌ̀miŋ]

형 **다가오는, 곧 있을**

▸ We have to provide for the **upcoming** future.

우리는 다가올 미래에 대비해야 한다.

052

numerous
[njúːmərəs]

형 **많은**

▸ He made **numerous** attempts, but couldn't beat the champion.

그는 많은 시도를 했지만 챔피언을 이길 수 없었다.

053

incident
[ínsidənt]

명 **사건**

▸ Such a terrible **incident** usually occurs during the night.

그런 끔찍한 사건은 대개 밤중에 발생한다.

비교 accident 사고

054

fitness
[fítnis]

명 **신체 단련, 건강**

▸ I made an exercise program to improve your **fitness**.

내가 너의 건강을 향상시키기 위한 운동 프로그램을 만들었어.

Tip 휘트니스 센터의 '휘트니스'가 바로 fitness

055

facility
[fəsíləti]

명 (편의) **시설**

▸ The company has a large manufacturing **facility**.

그 회사는 대규모의 제조 시설을 갖추고 있다.

형 facile 손쉬운, 용이한

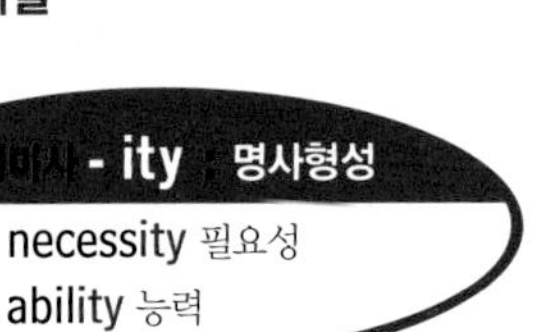

056

region
[rí:dʒən]

명 **지역**

▸ This **region** produces a large amount of cotton.
이 지역은 많은 양의 솜을 생산한다.

형 regional 지역의

057

glow
[glou]

동 (빨갛게) **빛나다, (불)타다**

▸ A **glowing** sunset is a beautiful sight attracting tourists.
빨갛게 빛나는 일몰은 관광객들을 유혹하는 아름다운 광경이다.

058

troop
[tru:p]

명 **병력, 군대**

▸ The **troop** did not give up chasing the enemy.
그 군대는 적을 추적하는 것을 포기하지 않았다.

059

reflect
[riflékt]

동 ① **반사하다** ② **반영하다**

▸ The light **reflected** off the mirror.
그 물체가 거울에 반사되었다.

▸ His new book **reflects** his old beliefs.
그의 새로운 책은 그의 오랜 믿음을 반영한다.

명 reflection 반사, 반영

형 reflective 반사하는, 반영하는

060

recruit
[rikrú:t]

동 (신병 · 신입 사원을) **채용하다, 모집하다**

명 **신병, 신입 사원**

▸ Public schools are **recruiting** new teachers.
공립학교들이 신입 교사들을 모집 중이다.

▸ He's the newest **recruit** on our team.
그가 우리 팀의 가장 새로 들어온 신입이다.

DAY 2 - TEST

A 다음 단어들을 영어는 한글로 한글은 영어로 쓰세요.

1 **insist** •
2 **defend** •
3 **chapter** •
4 **glitter** •
5 **random** •
6 **remain** •
7 **investigate** •
8 **qualification** •
9 **upcoming** •
10 **recruit** •

1 정책 •
2 의존하다 •
3 사임하다 •
4 영향 •
5 환불하다 •
6 사건 •
7 (편의) 시설 •
8 지역 •
9 병력, 군대 •
10 반사하다 •

C 다음 밑줄 친 단어와 같은 의미의 단어를 고르세요.

1 Nothing is more important to her than her faith in God.

ⓐ instruction ⓑ exploration ⓒ belief ⓓ deceit

2 Small businesses will need to reduce costs in order to survive.

ⓐ lessen ⓑ observe ⓒ vomit ⓓ survive

3 We have discussed these plans on numerous occasions.

ⓐ attractive ⓑ evident ⓒ many ⓓ rational

4 Charlie still insists that he did nothing wrong.

ⓐ initiates ⓑ shouts ⓒ inhibits ⓓ claims

B 다음 중 올바른 뜻을 고르세요.

1	**policy**	□ 정치	□ 정책
2	**chapter**	□ (책의) 장	□ 머리말
3	**glitter**	□ 팽창하다	□ 반짝이다
4	**resign**	□ 임명하다	□ 사임하다
5	**disagree**	□ 동의하다	□ 반대하다
6	**reduce**	□ 줄이다	□ 증가하다
7	**random**	□ 무작위의	□ 규칙적인
8	**numerous**	□ 많은	□ 부족한
9	**seek**	□ 찾다	□ 적용하다
10	**defend**	□ 공격하다	□ 방어하다

1	**연구[조사]하다**	□ search	□ research
2	**사건**	□ incident	□ accident
3	**영향**	□ influenza	□ influence
4	**신체단련**	□ witness	□ fitness
5	**(편의) 시설**	□ facility	□ capability
6	**지역**	□ region	□ reflection
7	**신병**	□ recruit	□ recognition
8	**병력, 부대**	□ truth	□ troop
9	**환불**	□ refund	□ refusal
10	**신뢰, 믿음**	□ faith	□ fault

D 다음 빈칸에 알맞은 단어를 고르세요.

1 1. My parents have been major ____________ in my life.

ⓐ decisions ⓑ influences ⓒ generations ⓓ functions

2 A test was carried out on a ____________ sample of the cattle.

ⓐ previous ⓑ upcoming ⓒ numerous ⓓ random

3 The drop in consumer spending ____________ concern about the economy.

ⓐ refers ⓑ recruits ⓒ reflects ⓓ relies

day
3

» 061
090

오늘 학습할 필수 단어입니다. 눈으로 스캔하며 모르거나 헷갈리는 단어에 체크하세요.

- □ **financial** 재정의, 금융의
- □ **intense** 극심한, 강렬한
- □ **media** 미디어, (대중) 매체
- □ **proverb** 속담
- □ **considerable** 상당한
- □ **momentary** 순간적인
- □ **matter** 문제, 중요하다
- □ **preserve** 보존[보호]하다
- □ **arrange** 배열하다, 마련하다
- □ **surgery** 수술
- □ **strike** 파업
- □ **council** (지방) 의회
- □ **historic** 역사적인, 역사상 유명한
- □ **universal** 보편적인
- □ **demand** 요구, 요구하다
- □ **stare** 빤히 쳐다보다
- □ **theory** 이론
- □ **reputation** 평판, 명성
- □ **horrible** 끔찍한
- □ **recent** 최근의

- □ **messy** 지저분한
- □ **lease** 임대차 계약
- □ **consumer** 소비자
- □ **import** 수입하다
- □ **staff** (전체) 직원
- □ **hasty** 서두른, 성급한
- □ **fund** 기금, 자금
- □ **achieve** 성취하다
- □ **swear** 맹세하다
- □ **cast** 던지다

061

financial

[fainǽnʃəl]

형 **재정의, 금융의**

▸ The company is suffering from **financial** difficulty.
그 회사는 재정적인 어려움을 겪고 있다.

명 finance 재정, 금융

062

intense

[inténs]

형 **극심한, 강렬한**
(= severe, extreme)

▸ The patient has endured **intense** pain.
그 환자는 극심한 고통을 견뎌왔다.

비교 intensive 집중적인

063

media

[mí:diə]

명 (복수형) **미디어,**
(대중) **매체**

▸ The incident attracted a lot of attention from the **media**.
그 사건은 매체의 많은 관심을 끌었다.

참고 medium (단수형) 매개물, 매체

064

proverb

[prάvə:rb]

명 **속담** (= saying)

▸ Do you know the meaning of the **proverb**?
너 그 속담의 의미를 아니?

065

considerable

[kənsídərəbl]

형 **상당한** (= substantial)

▸ He earned a **considerable** amount of money from the business.
그는 그 사업에서 상당한 액수의 돈을 벌었다.

비교 considerate 사려 깊은

접미사 - able : ~할수 있는

lovable 사랑스러운
changeable 변하기 쉬운

066

momentary
[móumənteri]
형 **순간적인, 잠깐의**
(= brief, temporary)

▶ The patient experienced a **momentary** loss of consciousness.
그 환자는 잠깐 동안 의식을 잃었다.

명 moment 순간
비교 momentous 중대한

067

matter
[mǽtər]
동 **중요하다**(= count, be important)
명 **문제, 일**

▶ You don't need to care about it. It doesn't **matter**.
너 그거 신경 안 써도 돼. 그거 중요한 거 아니야.

▶ I have a few personal **matters** to deal with.
난 처리해야 할 개인적인 문제가 몇 가지 있어.

068

preserve
[prizə́:rv]
동 **보존[보호]하다**
(= keep, protect, conserve)

▶ We need to work harder to **preserve** our precious forests.
우리는 우리의 소중한 숲을 보존하기 위해 더 열심히 노력해야 한다.

명 preservation 보존, 보호

접두사 pre : 미리
prepare 준비하다
precede 선행하다

069

arrange
[əréindʒ]
동 **① 배열하다**
② 마련하다, 준비하다
(= prepare)

▶ A few nurses **arranged** the instruments necessary for surgery.
몇 명의 간호사가 수술을 위해 필요한 도구들을 준비했다.

명 arrangement 마련, 준비

070

surgery
[sə́:rdʒəri]
명 **수술**(= operation)

▶ My father has recently undergone **surgery** on his waist.
우리 아버지가 최근 허리 수술을 받으셨다.

명 surgeon (수술하는) 외과 의사
참고 perform surgery (의사가) 수술하다

071

strike
[straik]
명 **파업**
동 (세게) **치다, 부딪치다**

▸ The workers in the car factory are on **strike**.
그 자동차 공장의 노동자들이 파업 중이다.

▸ The ship **struck** an iceberg while sailing.
그 배는 항해 중에 빙산에 부딪쳤다.

072

council
[káunsəl]
명 (지방) **의회, 협의회**

▸ The city **council** is considering a ban on smoking in coffee shops. 시의회는 커피숍에서의 흡연 금지를 고려하고 있다.

비교 counsel 상담을 하다

073

historic
[histɔ́:rik]
형 **역사적인, 역사상 유명한**

▸ The coronation of a new king is, of course, a **historic** occasion.
물론 새로운 왕의 대관식은 역사적인 행사다.

비교 historical 역사의

074

universal
[jù:nəvə́:rsəl]
형 **보편적인, 일반적인** (= general)

▸ Food, health, and money are a subject of **universal** interest.
음식, 건강 그리고 돈은 보편적인 관심의 주제다.

명 universe 우주

075

demand
[dimǽnd]
명 ① **요구** ② **수요**
동 (강력히) **요구하다**

▸ They won't end the strike until their **demands** were satisfied.
그들은 그들의 요구가 충족될 때 까지는 파업을 끝내지 않을 것이다.

▸ The company couldn't meet the **demand** for the product.
그 회사는 그 제품에 대한 수요를 충족시키지 못했다.

▸ The customer **demanded** a refund.
그 고객은 환불을 강력히 요구했다.

참고 supply and demand 수요와 공급

076

stare
[stɛər]
동 **빤히 쳐다보다, 응시하다** (= gaze)

▸ Lucy was **staring** blankly out the window.
루시는 멍하니 창밖을 응시하고 있었다.

비교 watch 움직임을 지켜보다
peep 엿보다
glance 힐끗 보다

077

theory
[θíːəri]
명 **이론**

▸ Do you know about Einstein's **theory** of relativity.
너 아인슈타인의 상대성 이론에 대해 아니?

형 theoretical 이론적인

078

reputation
[rèpjutéiʃən]
명 **평판, 명성**
(= renown, prestige)

▸ Mr. Brown earned a **reputation** as a mild and fair judge.
브라운 씨는 온화하고 공정한 판사라는 평판을 얻었다.

형 reputed ~라고 평판이 나있는

접미사 - tion : 명사형성
education 교육
acquisition 습득

079

horrible
[hɔ́ːrəbl]
형 **끔찍한, 소름끼치는**
(= terrible, dreadful, awful)

▸ It was difficult for me to describe the **horrible** scene.
그 끔찍한 장면을 묘사하는 것은 나에게는 어려웠다.

080

recent
[ríːsnt]
형 **최근의**(= up-to-date)

▸ **Recent** events have brought people's attention to the problem.
최근 사건들이 그 문제에 대한 사람들의 관심을 불러 일으켰다.

부 recently 최근(에)

081

messy
[mési]
형 **지저분한**(= untidy)

▸ Sorry, the room is so **messy**, I haven't had time to clear up. 방이 너무 지저분해서 미안해. 치울 시간이 없었어.

082

lease
[li:s]
명 **임대차 계약**

▸ The **lease** renewal is scheduled to occur every two years.
임대차 갱신은 2년마다 있을 예정이다.

083

consumer
[kənsú:mər]
명 **소비자**

▸ Some **consumers** are uncomfortable about making purchases on the Internet.
어떤 소비자들은 인터넷으로 구매하는 것을 불편해한다.

동 consume 소비하다
명 consumption 소비

084

import
[impɔ́:rt]
동 **수입하다**
(↔export 수입하다)

▸ The company **imports** antique furniture from Italy.
그 회사는 이탈리아로부터 앤틱 가구를 수입한다.

명 importation 수입(품)

어근 **port** : 운반하다
porter 짐꾼
transport 수송하다

085

staff
[stæf]
명 (전체) **직원**

▸ The entire **staff** in our company has done a great job this year. 우리 회사 전 직원이 올해 아주 잘 해냈다.

Tip staff는 집합명사이므로 복수형 불가

086

hasty
[héisti]
형 서두른, 성급한

► You shouldn't make any **hasty** decisions on your future.
너는 미래에 대해 어떠한 성급한 결정도 내려서는 안 된다.

동 hasten 서둘러 하다, 재촉하다

부 hastily 급히, 서둘러서

day 3

087

fund
[fʌnd]
명 기금, 자금

► The new project stopped for a time due to lack of **funds**.
그 새로운 프로젝트는 자금 부족으로 한 동안 중단되었다.

Tip fund는 '펀드'라는 외래어로 잘 쓰인다.

088

achieve
[ətʃíːv]
동 성취[달성]하다
(= accomplish)

► The general's troop **achieved** a great triumph in the battle.
그 장군의 부대는 그 전투에서 큰 승리를 거두었다.

명 achievement 성취

089

swear
[sweər]
동 ① 맹세하다 ② 욕하다

► I **swear** an oath to tell the truth in court.
나는 법정에서 진실을 말할 것을 맹세한다.

불규칙 swear - swore - sworn

090

cast
[kæst]
동 던지다

► I saw him **casting** a stone into the lake.
나는 그가 호수에 돌을 던지는 것을 봤다.

불규칙 cast - cast - cast

참고 broadcast 방송하다, 널리알리다

DAY 3 - TEST

A 다음 단어들을 영어는 한글로 한글은 영어로 쓰세요.

1 **financial** •
2 **intense** •
3 **considerable** •
4 **preserve** •
5 **council** •
6 **theory** •
7 **messy** •
8 **consumer** •
9 **staff** •
10 **achieve** •

1 파업 •
2 속담 •
3 수술 •
4 순간적인 •
5 보편적인 •
6 평판, 명성 •
7 최근의 •
8 임대차 계약 •
9 수입하다 •
10 맹세하다 •

C 다음 밑줄 친 단어와 같은 의미의 단어를 고르세요.

1 He suddenly felt an <u>intense</u> pain in his chest.

ⓐ several ⓑ severe ⓒ complex ⓓ major

2 We have already wasted a <u>considerable</u> amount of time and money.

ⓐ nuclear ⓑ urgent ⓒ present ⓓ substantial

3 The company has a worldwide <u>reputation</u> for quality.

ⓐ renown ⓑ relay ⓒ patience ⓓ attitude

4 Ben's bedroom is always really <u>messy</u>.

ⓐ notable ⓑ dull ⓒ untidy ⓓ excellent

B 다음 중 올바른 뜻을 고르세요.

1	**arrange**	□ 준비하다	□ 조사하다
2	**proverb**	□ 속담	□ 전설
3	**surgery**	□ 치료	□ 수술
4	**universal**	□ 전면적인	□ 보편적인
5	**demand**	□ 요구	□ 공급
6	**horrible**	□ 끔찍한	□ 대단한
7	**achieve**	□ 성공하다	□ 성취하다
8	**swear**	□ 맹세하다	□ 보증하다
9	**recent**	□ 극적인	□ 최근의
10	**hasty**	□ 성급한	□ 밀집한

1	**상당한**	□ considerate	□ considerable
2	**재정의**	□ individual	□ financial
3	**극심한**	□ intense	□ intensive
4	**순간적인**	□ momentary	□ momentous
5	**빤히 쳐다보다**	□ stare	□ pause
6	**지저분한**	□ messy	□ awful
7	**기금**	□ fund	□ finance
8	**임대차 계약**	□ loss	□ lease
9	**의회**	□ county	□ council
10	**던지다**	□ cast	□ crack

D 다음 빈칸에 알맞은 단어를 고르세요.

1 These laws are intended to help ______________ our natural resources.

ⓐ irritate ⓑ devise ⓒ preserve ⓓ proclaim

2 Money, like food is a subject of almost ______________ interest.

ⓐ satisfactory ⓑ available ⓒ obligatory ⓓ universal

3 She finally ______________ her ambition to win a gold medal in the Olympics.

ⓐ edited ⓑ achieved ⓒ fed ⓓ discovered

day
4

» 91
120

오늘 학습할 필수 단어입니다. 눈으로 스캔하며 모르거나 헷갈리는 단어에 체크하세요.

- □ **indeed** 정말로, 실로
- □ **military** 군대의, 군사의
- □ **expert** 전문가
- □ **department** 부, 부서
- □ **further** 더 이상의, 추가의
- □ **colony** 식민지
- □ **repair** 수리하다, 수리
- □ **economy** 경제
- □ **aim** 목표, 목표하다
- □ **injury** 부상
- □ **precious** 귀중한, 값비싼
- □ **imaginative** 상상력이 풍부한
- □ **justify** 정당화하다
- □ **embarrass** 당황하게 하다
- □ **occupy** 차지하다, 점유하다
- □ **assist** 돕다
- □ **attitude** 태도
- □ **laboratory** 실험실
- □ **domestic** 국내의, 가정의
- □ **unfair** 불공정한

- □ **severe** 극심한
- □ **physician** (내과) 의사
- □ **philosophy** 철학
- □ **income** 수입, 소득
- □ **impression** 인상, 느낌
- □ **rural** 시골의
- □ **comprehend** 이해하다
- □ **basis** 기초, 근거
- □ **experiment** 실험
- □ **elevate** 올리다, 높이다

091

indeed

[indíːd]

부 **정말로, 실로**

(= really, certainly)

▸ The meal in the restaurant was very expensive **indeed**.
그 식당의 식사는 정말 비쌌다.

092

military

[mílətèri]

형 **군대의, 군사의**

▸ The government threatened to take **military** action on the enemy. 정부는 적에 대해 군사 행동 취하겠다고 위협했다.

093

expert

[ékspəːrt]

명 **전문가**

▸ She is an **expert** in computer programming and graphics.
그녀는 컴퓨터 프로그래밍과 그래픽 전문가다.

094

department

[dipάːrtmənt]

명 **부, 부서**

▸ Who's in charge of the sales **department**?
판매 부서의 책임자가 누구예요?

비교 departure 출발(지)

095

further

[fə́ːrðər]

형 **더 이상의, 추가의**

▸ If you need **further** information, you can call me.
추가적인 정보가 필요하시면 전화주세요.

Tip further 는 부사로 '더, 더 멀리에'의 뜻으로도 쓰임

비교 farther (거리가) 더 먼, 더 멀리

096

colony
[kálәni]
명 식민지

▸ Australia and New Zealand are former British **colonies**.
호주와 뉴질랜드는 영국의 예전 식민지들이다.

형 colonial 식민(지)의

097

repair
[ripέәr]
동 수리하다
명 수리

▸ The mechanic charged me $500 for **repairing** the car.
그 수리공은 차 수리비로 나에게 500달러를 청구했다.

▸ The **repairs** were expensive.
수리비가 많이 들었다.

098

economy
[ikánәmi]
명 경제

▸ The war altered the country's society and **economy**.
전쟁이 그 나라의 사회와 경제를 바꿔놓았다.

형 economic 경제의

형 economical 경제적인, 알뜰한

명 economics 경제학 ← 단수 취급에 주의!

099

aim
[eim]
명 목표(= goal, objective)
동 목표하다, 겨냥하다

▸ The main **aim** of this course is to improve economic knowledge. 이 과정의 주요 목표는 경제 지식을 향상시키는 것이다.

▸ This advertisement is **aimed** at young people.
이 광고는 젊은이들을 겨냥하고 있다.

100

injury
[índʒәri]
명 부상(= wound)

▸ The driver has direct responsibility for her serious **injury**.
그 운전자는 그녀의 큰 부상에 대해 직접적인 책임이 있다.

형 injurious 해로운

101

precious
[préʃəs]
형 **귀중한, 값비싼**
(= valuable, priceless)

▸ You should not waste your **precious** time and money.
너의 귀중한 시간과 돈을 낭비해서는 안 된다.

명 price 가격; 가치

102

imaginative
[imǽdʒənətiv]
형 **상상력이 풍부한, 창의적인**(= creative)

▸ He solved the difficult problem through his **imaginative** idea.
그는 창의적인 아이디어를 통해 그 어려운 문제를 해결했다.

동 imagine 상상하다
비교 imaginary 상상에만 존재하는

103

justify
[dʒʌ́stəfài]
동 **정당화하다**

▸ You can't **justify** your behavior for any reason.
어떠한 이유로도 당신의 행동을 정당화할 수 없다.

형 justifiable 정당한
명 justification 정당화

접미사 - ify : 동사형성
simplify 단순화하다
identify 확인하다, 동화되다

104

embarrass
[imbǽrəs]
동 **당황하게 하다**(= puzzle)

▸ Unexpected laughter of the audience **embarrassed** the speaker. 청중의 예상치 못한 웃음소리가 연설자를 당황하게 했다.

형 embarrassing 당황하게 하는
형 embarrassed 당황한

105

occupy
[ákjupài]
동 **차지하다, 점유하다**

▸ The furniture **occupies** too much space in the room.
그 가구는 방에서 너무 많은 공간을 차지한다.다.

명 occupancy 점유, 거주
명 occupation 직업

106

assist

[əsíst]

동 **돕다**(= help, aid)

▸ We want to **assist** elderly people who live alone.
우리는 혼자 사는 노인들을 돕고 싶다.

명 assistant 조수

Tip 농구, 축구에서 슛을 성공하도록 도와주는 것이 어시스트!

107

attitude

[ǽtitjùːd]

명 **태도**

▸ My grandfather has a very positive **attitude** to life.
우리 할아버지는 삶에 대해 아주 긍정적인 태도를 갖고 있다.

비교 aptitude 소질, 적성

108

laboratory

[lǽbrətɔ̀ːri]

명 **실험실**

▸ The scientist is carrying out experiments in his **laboratory**.
그 과학자는 실험실에서 실험을 하고 있다.

Tip laboratory는 줄임말로 'lab' 이라고 쓴다.

109

domestic

[dəméstik]

형 **① 국내의**
② 가정의

▸ The **domestic** market is still depressed, but demand abroad is picking up.
국내 시장은 여전히 침체되어 있지만, 해외 수요는 증가하고 있다.

동 domesticate 길들이다

110

unfair

[ʌnféər]

형 **불공정한**

▸ The new law will prevent **unfair** competition among companies. 그 새로운 법은 기업 간 불공정한 경쟁을 방지할 것이다.

111

severe

[sivíər]

형 **극심한**(= serious, intense, extreme)

▸ The soccer player suffered a **severe** leg injury.
그 축구 선수는 심각한 다리 부상을 겪었다.

명 severity 격렬, 혹독

112

physician

[fizíʃən]

명 (내과) **의사**(= doctor)

접미사 - cian : '사람'의 의미

musician 음악가
magician 마술사

▸ A **physician** needs to fully comprehend a patient's condition.
의사는 환자의 상태를 완전히 이해해야 한다.

비교 surgeon (수술하는) 외과 의사

113

philosophy

[filásəfi]

명 **철학**

▸ He majored in **philosophy** and psychology at the university.
그는 그 대학에서 철학과 심리학을 전공했다.

명 philosophist 철학자

114

income

[ínkʌm]

명 **수입, 소득**(= earning)

▸ He earns a good **income** as a lawyer.
그는 변호사로서 수입이 좋다.

참고 outcome 결과

115

impression

[impréʃən]

명 **인상, 느낌**(= feeling)

▸ When I met him first I got a very good **impression**.
내가 그를 처음 만났을 때 좋은 인상을 받았다.

동 impress (~에게) 깊은 인상을 주다

형 impressive 인상적인

116

rural

[rúərəl]

형 **시골의** (↔ urban 도시의)

▸ The writer has written many peaceful poems about her **rural** life. 그 작가는 시골 생활에 대한 평화로운 시들을 많이 써왔다.

day 4

117

comprehend

[kàmprihénd]

동 **이해하다**

▸ He doesn't seem to **comprehend** the core of the problem. 그는 그 문제의 핵심을 이해하지 못하는 것 같다.

형 comprehensive 포괄적인

118

basis

[béisis]

명 **기초, 근거**(= foundation)

▸ He made an argument on the **basis** of incorrect information. 그는 잘못된 정보에 근거한 주장을 했다.

형 basic 기본적인

비교 base 토대, 기저

basement 지하실

119

experiment

[ikspérəmənt]

명 **실험**

▸ I think that **experiments** on animals should be banned. 나는 동물에 관한 실험이 금지되어야 한다고 생각한다.

형 experimental 실험의, 실험적인

120

elevate

[éləvèit]

동 **올리다, 높이다**(= raise)

▸ Language has **elevated** humans above the other animals. 언어는 인간을 다른 동물들보다 높아지게 했다.

명 elevation 승격

명 elevator 엘리베이터, 승강기

DAY 4 - TEST

A 다음 단어들을 영어는 한글로 한글은 영어로 쓰세요.

1	indeed	1	전문가
2	military	2	식민지
3	department	3	경제
4	repair	4	귀중한
5	injury	5	정당화하다
6	assist	6	태도
7	occupy	7	국내의
8	severe	8	불공정한
9	philosophy	9	시골의
10	comprehend	10	실험

C 다음 밑줄 친 단어와 같은 의미의 단어를 고르세요.

1 He <u>repaired</u> the old chair that was coming apart.

ⓐ scattered ⓑ broke ⓒ fixed ⓓ built

2 My main <u>aim</u> in life is to be a great scientist.

ⓐ stuff ⓑ hope ⓒ intention ⓓ objective

3 I was unable to <u>comprehend</u> what had happened.

ⓐ understand ⓑ confer ⓒ undergo ⓓ conduct

4 Unexpected laughter <u>embarrassed</u> the speaker.

ⓐ pleased ⓑ puzzled ⓒ regulated ⓓ consumed

B 다음 중 올바른 뜻을 고르세요.

1	**military**	□ 군대의	□ 폭력적인
2	**expert**	□ 전문가	□ 독지가
3	**department**	□ 부서	□ 출발
4	**colony**	□ 경작지	□ 식민지
5	**precious**	□ 귀중한	□ 값비싼
6	**unfair**	□ 불공정한	□ 무례한
7	**domestic**	□ 국내의	□ 전국적인
8	**elevate**	□ 올리다	□ 내리다
9	**impression**	□ 인상	□ 표정
10	**comprehend**	□ 체포하다	□ 이해하다

1	**실로, 정말로**	□ indeed	□ formally
2	**(내과) 의사**	□ physician	□ philosopher
3	**수입**	□ income	□ outcome
4	**부상**	□ justice	□ injury
5	**목표**	□ aim	□ subject
6	**정당화하다**	□ justify	□ identify
7	**극심한**	□ several	□ severe
8	**태도**	□ aptitude	□ attitude
9	**이해하다**	□ comprise	□ comprehend
10	**실험**	□ experience	□ experiment

D 다음 빈칸에 알맞은 단어를 고르세요.

1 Several train passengers sustained serious ______________ in the crash.

ⓐ possessions ⓑ suggestions ⓒ threats ⓓ injuries

2 The ______________ market is still depressed, but demand abroad is picking up.

ⓐ domestic ⓑ tame ⓒ capacious ⓓ obligatory

3 The government has threatened to take ______________ action if the rebels do not withdraw from the area.

ⓐ tropical ⓑ defensive ⓒ military ⓓ previous

day
5

» 121
150

오늘 학습할 필수 단어입니다. 눈으로 스캔하며 모르거나 헷갈리는 단어에 체크하세요.

- □ **used** 중고의
- □ **annoy** 짜증나게 하다
- □ **rescue** 구조[구출]하다
- □ **manufacturer** 제조사
- □ **objective** 객관적인, 목적
- □ **certain** ① 확실한 ② 어떤
- □ **distinguish** 구별하다
- □ **suggestion** 제안, 제의
- □ **witness** 목격자, 목격하다
- □ **pressure** 압력, 압박
- □ **mention** 언급, 언급하다
- □ **irritate** 짜증나게 하다
- □ **ambition** 야망
- □ **concerned** 걱정하는
- □ **scholarship** 장학금
- □ **last** 지속하다
- □ **realize** ① 깨닫다 ② 실현하다
- □ **organization** 조직, 단체
- □ **publish** 출판하다, 발표하다
- □ **former** 이전의

- □ **minister** 장관, 각료
- □ **fabric** 직물, 천
- □ **leather** 가죽
- □ **criminal** 범인
- □ **accompany** ~와 동행하다
- □ **ancient** 고대의, 아주 오래된
- □ **bandage** 붕대
- □ **account** 설명
- □ **condition** ① 상태 ② 조건
- □ **dreadful** 끔찍한, 두려운

121

used
[juːzd]
형 **중고의**
(= second-hand)

▸ She decided to buy a **used** car to save money.
그녀는 돈을 절약하기 위해 중고차를 사기로 결정했다.

비교 used to V (과거에) ~하곤 했다
be used to + N[명] ~ing ~에 익숙해지다

122

annoy
[ənɔ́i]
동 **짜증나게 하다**
(= irritate, bother)

▸ People who chew with their mouths open really **annoy** me.
입을 벌리고 씹는 사람들은 나를 정말 짜증나게 해.

형 annoying 짜증스러운

123

rescue
[réskjuː]
동 **구조[구출]하다**
(= save)

▸ The sailors from the sinking boat were **rescued** by helicopter.
침몰하는 배로부터 그 선원들은 헬리콥터로 구조되었다.

Tip rescue는 명사 '구조, 구출'로도 쓰임

124

manufacturer
[mænjufǽktʃərər]
명 **제조사, 제조업체**

▸ The company is the world's largest car **manufacturer**.
그 회사는 세계에서 가장 큰 제조 회사다.

동 manufacture 제조하다

어근 **man : 손**
manual 손의, 육체의
manage 해내다, 관리하다

125

objective
[əbdʒéktiv]
형 **객관적인**
(↔ subjective 주관적인)
명 (특수한) **목적, 목표**

▸ There is no **objective** evidence to support his claim.
그의 주장을 뒷받침할만한 객관적인 증거는 없다.

▸ The main **objective** of the class is to learn American history.
그 수업의 주요 목표는 미국 역사를 배우는 것이다.

명 동 object 물건, 물체; 목적, 반대하다

126

certain
[sə́ːrtn]

형 ① 확실한
② 어떤, 어느 정도의

▸ It is **certain** that the team win the game.
그 팀이 그 경기를 이기는 것은 확실하다.

▸ The employee will receive a **certain** share of the profits.
그 직원은 수익의 일정 부분을 받게 될 것이다.

부 certainly 틀림없이, 분명히

명 certainty 확실성

127

distinguish
[distíŋgwiʃ]

동 구별하다
(= differentiate, discriminate)

▸ The teacher could easily **distinguish** truth from falsehood.
그 선생님은 진실과 거짓을 쉽게 구별할 수 있었다.

명 distinguishment 구별, 특징

형 distinguishable 구별될 수 있는

128

suggestion
[sədʒéstʃən]

명 제안, 제의
(= offer, proposal)

▸ He mentioned a new idea for the business model, and I appreciated his **suggestion**.
그는 사업 모델에 대한 새로운 아이디어를 언급했고, 나는 그의 제안을 높이 평가했다.

동 suggest ① 제안하다 ② 암시하다

129

witness
[wítnis]

명 목격자, 증인

동 목격하다

▸ The child was a **witness** to a robbery.
그 아이가 강도 사건의 목격자였다.

▸ Several people **witnessed** the car accident.
몇 사람들이 그 자동차 사고를 목격했다.

숙어 bear witness to ~을 증명하다

130

pressure
[préʃər]

명 압력, 압박

▸ He is putting **pressure** on her to agree.
그는 그녀에게 동의하라는 압박을 가하고 있다.

형 pressing 긴급한

131

mention
[ménʃən]

명 **언급**(= comment)

동 **언급하다**(= refer to)

▸ He made **mention** of their special contributions.
그는 그들의 특별한 기여에 대하여 언급했다.

▸ The manager forgot to **mention** an important point in the e-mail. 그 매니저는 이메일에서 중요한 요점을 언급하는 것을 까먹었다.

132

irritate
[írətèit]

동 **짜증나게 하다**(= annoy)

▸ His rude behaviour really began to **irritate** me.
그의 무례한 행동이 나를 정말 짜증나게 하기 시작했다.

형 irritating 짜증나게 하는

형 irritable 짜증을 잘 내는

133

ambition
[æmbíʃən]

명 **야망**

▸ James has a very strong **ambition** to win a gold medal.
제임스는 금메달을 따려는 강한 야망을 가지고 있다.

형 ambitious 야망에 찬

134

concerned
[kənsə́ːrnd]

형 **걱정하는, 염려하는**

▸ My grandmother is always **concerned** about her health.
우리 할머니는 항상 건강에 대해 걱정하신다.

명 concern 우려, 걱정; 관계, 관심

135

scholarship
[skálərʃìp]

명 **장학금**

▸ She has studied hard to get a **scholarship**.
그녀는 장학금을 받기위해 열심히 공부해왔다.

명 scholar 학자

접미사 - ship : '특정신분'의 의미

ownership 소유권
friendship 우정

136

last
[læst]
동 지속하다

▸ The meeting has **lasted** for several hours.
그 회의는 몇 시간 동안 지속되었다.

형 long-lasting 오래 지속되는

어휘 정리 late 늦은; 늦게 lately 최근에 later 나중에, 후에

day 5

137

realize
[ríːəlàiz]
동 ① 깨닫다, 인식하다
② 실현하다

▸ He did not **realize** the risk of the investment.
그는 그 투자의 위험을 깨닫지 못했다.

▸ She **realized** her dream by winning an Olympic gold medal.
그는 올림픽 금메달을 따면서 자신의 꿈을 실현했다.

명 realization 깨달음, 자각; 실현

접미사 - ize : 동사형성
hospitalize 입원시키다
industrialize 산업화하다

138

organization
[ɔ̀rgənaizéiʃən]
명 조직, 단체

▸ The environmental **organization** will publish a report on air pollution. 그 환경단체는 대기오염에 관한 보고서를 발표할 것이다.

동 organize 조직[준비]하다; 정리하다

139

publish
[pʌ́bliʃ]
동 출판하다, 발표하다
(= issue, announce)

▸ The scientist **published** an article summarizing the results of his latest experiments.
그 과학자는 그의 최근의 실험 결과를 요약하는 기사를 발표했다.

명 publisher 출판인, 출판사

140

former
[fɔ́ːrmər]
형 이전의
(= previous, prior)

▸ The **former** president is no longer in the White House.
전임 대통령은 더 이상 백악관에 있지 않다.

141

minister
[mínistər]
명 **장관, 각료**

▸ The prime **minister** of the United Kingdom is the head of government of the United Kingdom.
영국의 총리는 영국 정부의 수장이다.

Tip minister는 '성직자, 목사'의 뜻도 있다.

142

fabric
[fǽbrik]
명 **직물, 천**(= cloth)

▸ The merchant sells cotton **fabric** and wool.
그 상인은 면직물과 양모를 판다.

143

leather
[léðər]
명 **가죽**

▸ The car's wonderful **leather** seats are very impressive.
그 차의 멋진 가죽 좌석은 매우 인상적이다.

참고 'rubber 고무'도 함께 외우자!

144

criminal
[kríminl]
명 **범인**

▸ Police arrested the **criminal** right after he robbed the bank.
경찰은 은행을 턴 직후 그 범인을 체포했다.

명 crime 범죄

145

accompany
[əkʌ́mpəni]
동 **~와 동행하다**

▸ If Jane can get a vacation, she will **accompany** me on the trip.
만약 제인이 휴가를 얻을 수 있다면 그 여행에 나와 동행할 것이다.

참고 company 회사; 함께함, 교제

146

ancient
[éinʃənt]

형 **고대의, 아주 오래된**

▸ **Ancient** civilization refers to the first settled and stable communities.
고대 문명은 최초로 정착되고 안정된 공동체들을 가리킨다.

147

bandage
[bǽndidʒ]

명 **붕대**

▸ The nurse wrapped a **bandage** around his wounded knee.
간호사가 부상당한 그의 무릎에 붕대를 감았다.

비교 bondage 구속, 속박

접미사 - age : 명사형성
baggage 수하물
breakage 파손

148

account
[əkáunt]

명 **설명**(= explanation)

▸ The witness gave an **account** of the car accident.
그 목격자는 차 사고에 대해 설명했다.

숙어 account for 설명하다; 차지하다; ~의 원인이 되다

149

condition
[kəndíʃən]

명 **① 상태 ② 조건**

▸ The used car has been well maintained and is in excellent **condition**. 그 중고차는 잘 유지되어 왔고 아주 좋은 상태에 있다.

▸ What is a necessary **condition** for economic growth?
경제 성장에 필요한 조건은 무엇인가?

형 conditional 조건부의

150

dreadful
[drédfəl]

형 **끔찍한, 두려운**
(= terrible, horrible)

▸ The horror movie was so **dreadful** that I just had to switch it off. 그 공포영화는 너무 무서워서 나는 그냥 꺼야만 했다.

동 dread 두려워하다

접미사 - ful : 형용사기능
useful 유용한
sorrowful 슬픈

DAY 5 - TEST

A 다음 단어들을 영어는 한글로 한글은 영어로 쓰세요.

1	annoy	•	1	중고의	• scholarship
2	rescue	•	2	제조사	• minister
3	certain	•	3	객관적인	• manufacturer
4	distinguish	•	4	장학금	• leather
5	pressure	•	5	목격자	• ambition
6	mention	•	6	야망	• criminal
7	irritate	•	7	가죽	• objective
8	concerned	•	8	지속하다	• last
9	accompany	•	9	장관, 각료	• witness
10	dreadful	•	10	범인	• used

C 다음 밑줄 친 단어와 같은 의미의 단어를 고르세요.

1 Judy really annoyed me in the meeting this morning.

ⓐ irritated ⓑ deceived ⓒ surpassed ⓓ flourished

2 The doctor said her condition is improving slowly.

ⓐ pressure ⓑ state ⓒ practice ⓓ mention

3 The lifeboat rescued the sailors from the sinking boat.

ⓐ sacrificed ⓑ buried ⓒ saved ⓓ responded

4 The old man was the former president of the United States.

ⓐ vivid ⓑ passionate ⓒ primitive ⓓ previous

B 다음 중 올바른 뜻을 고르세요.

1	**distinguish**	□ 구별하다	□ 분리하다
2	**accompany**	□ 동행하다	□ 운영하다
3	**former**	□ 이전의	□ 공식적인
4	**irritate**	□ 즐겁게 하다	□ 짜증나게 하다
5	**publish**	□ 출판하다	□ 석방하다
6	**objective**	□ 주관적인	□ 객관적인
7	**fabric**	□ 직물	□ 금속
8	**scholarship**	□ 기부금	□ 장학금
9	**account**	□ 설명	□ 순서
10	**condition**	□ 상태	□ 음료

1	**언급하다**	□ mansion	□ mention
2	**야망**	□ suggestion	□ ambition
3	**조직, 단체**	□ organism	□ organization
4	**걱정하는**	□ concerned	□ related
5	**깨닫다**	□ reflect	□ realize
6	**구조하다**	□ rescue	□ recover
7	**범인**	□ crime	□ criminal
8	**고대의**	□ ancient	□ previous
9	**두려운**	□ dreadful	□ reliable
10	**붕대**	□ band	□ bandage

D 다음 빈칸에 알맞은 단어를 고르세요.

1 You have to ________________ between a lie and a truth.

ⓐ appear ⓑ distinguish ⓒ convey ⓓ discharge

2 My close friend agreed to ________________ me on a trip to Africa.

ⓐ accompany ⓑ collaborate ⓒ compete ⓓ arrest

3 The people in the village still observe the ________________ traditions of their ancestors.

ⓐ flexible ⓑ spare ⓒ generous ⓓ ancient

day 6

» 151

180

오늘 학습할 필수 단어입니다. 눈으로 스캔하며 모르거나 헷갈리는 단어에 체크하세요.

- □ **vain** 헛된, 소용없는
- □ **argument** ① 주장 ② 논쟁
- □ **paradise** 천국, 낙원
- □ **inspire** 영감을 주다
- □ **valuable** 값비싼, 귀중한
- □ **spoil** ① 망치다 ② 상하다
- □ **caution** 주의시키다, 주의
- □ **technology** 기술
- □ **diverse** 다양한
- □ **support** 지지하다, 지지
- □ **disappear** 사라지다
- □ **author** 작가
- □ **subjective** 주관적인
- □ **barrier** 장벽
- □ **theme** 주제, 테마
- □ **become** ~이 되다
- □ **abnormal** 비정상적인
- □ **exclude** 제외하다, 빼다
- □ **medicine** (조제한) 약
- □ **devote** 바치다, 헌신하다

- □ **continue** 계속하다
- □ **peninsula** 반도
- □ **innocent** ① 순진한 ② 무죄인
- □ **reject** 거절[거부]하다
- □ **motivate** 동기부여하다
- □ **behavior** 행동
- □ **civilian** 민간인
- □ **detailed** 상세한, 세부적인
- □ **promising** 촉망되는, 유망한
- □ **seemingly** 겉으로는

151

vain

[vein]

형 **헛된, 소용없는**

(= unsuccessful)

▸ The prisoner made a **vain** attempt to escape from prison.
그 죄수는 탈옥하려는 헛된 시도를 했다.

숙어 in vain 헛되이, 허사가 되어

152

argument

[ɑ́ːrgjumənt]

명 ① **주장**

② **논쟁**(= contention)

▸ For the reason mentioned above, I can't support his **argument**. 위에서 언급된 이유로, 나는 그의 주장을 지지할 수가 없다.

▸ They always get into **arguments** over politics.
그들은 항상 정치에 대해 논쟁을 벌인다.

동 argue 주장하다; 다투다

153

paradise

[pǽrədàis]

명 **천국, 낙원** (= heaven)

▸ When I went on this vacation I was in **paradise**.
이번 휴가 갔을 때 난 천국에 있었다.

154

inspire

[inspáiər]

동 **영감을 주다**

▸ The Bible **inspired** me to write a poem about heaven.
성경은 내가 천국에 대한 시를 쓸 수 있도록 영감을 주었다.

명 inspiration 영감

형 inspirational 영감을 주는

어근 **spire** : 숨쉬다

respire 호흡하다

aspire 열망하다

155

valuable

[vǽljuəbl]

형 **값비싼, 귀중한**

(= precious)

▸ Her wedding ring is the most **valuable** thing she owns.
그녀의 결혼반지는 그녀가 소유한 것 중 가장 값진 것이다.

156

spoil
[spɔil]
동 ① **망치다**(= ruin)
② **상하다**(= go bad)

▸ Don't **spoil** your appetite by having snacks too much.
간식을 너무 많이 먹어서 식욕을 망치지 마라.

▸ The milk was beginning to **spoil**.
우유가 상하기 시작했다.

Tip spoil → 스포하다 → 줄거리를 미리 얘기해서 보는 재미를 망치다

day 6

157

caution
[kɔ́:ʃən]
동 **주의시키다, 주의를 주다**
명 **주의, 조심**(= care)

▸ I **cautioned** her not to go out alone at night.
나는 그녀에게 밤에 혼자 밖에 나가지 말라고 주의를 주었다.

▸ You should drive with **caution** because the roads are slippery.
도로가 미끄러우니 조심해서 운전해야 해.

형 cautious 조심스러운, 신중한

158

technology
[teknɑ́lədʒi]
명 **기술**

▸ Even an engineer using modern **technology** sometimes believes in mysterious force.
현대 기술을 사용하는 엔지니어조차도 때로는 신비로운 힘의 존재를 믿는다.

형 technological (과학) 기술의

접미사 - logy : ~론, ~학문
biology 생물학
sociology 사회학

159

diverse
[divə́:rs]
형 **다양한**(= various)

▸ She has many **diverse** interests, including stamp collecting, soccer, and oil painting.
그녀는 우표 수집, 축구, 유화를 포함한 많은 다양한 관심사를 가지고 있다.

명 diversity 다양성

160

support
[səpɔ́:rt]
동 ① **지지하다**(= back up)
② **부양하다**
명 **지지, 지원**

▸ I become discouraged that they don't **support** my decision.
그들이 내 결정을 지지하지 않아 나는 낙담했다.

▸ The policy has had little public **support**.
그 정책은 대중의 지지를 거의 받지 못했다.

형 supportive 지원하는

161

disappear
[dìsəpíər]
동 **사라지다**(= vanish)

▸ The missing woman seemed to **disappear** without a trace. 그 실종된 여인은 흔적도 없이 사라진 것처럼 보였다.

명 disappearance 실종

접두사 dis : '부정'의 의미
disease 질병
displease 불쾌하게하다

162

author
[ɔ́:θər]
명 **작가**

▸ He was a famous **author** who published over sixty children's books.
그는 60권이 넘는 아동 도서를 출판한 유명한 작가였다.

163

subjective
[səbdʒéktiv]
형 **주관적인**
(↔ objective 객관적인)

▸ Don't judge others by your **subjective** judgment.
너의 주관적인 판단으로 다른 사람들을 판단하지 마라.

164

barrier
[bǽriər]
명 **장벽**

▸ A language **barrier** used to refer to linguistic **barriers** to communication.
언어 장벽은 의사소통에 대한 언어적인 장벽을 가리키는데 사용된다.

165

theme
[θi:m]
명 **주제, 테마**
(= subject, motif)

▸ The main **theme** of the movie was the love of a family.
그 영화의 주된 주제는 가족의 사랑이었다.

Tip theme은 '테마'라는 외래어로 잘 쓰인다.

166

become
[bikʌm]
동 ① ~이 되다
② 어울리다

▸ She **became** the first woman to be President of the nation.
그녀는 그 나라에서 최초의 여성대통령이 되었다.

167

abnormal
[æbnɔ́ːrməl]
형 **비정상적인**(= unusual, odd, strange)

▸ His **abnormal** behavior caused her to stop dating him.
그의 비정상적인 행동으로 인해 그녀는 그와 사귀는 것을 그만두었다.

명 abnormality 비정상

day 6

168

exclude
[iksklúːd]
동 **제외하다, 빼다**
(↔ include 포함하다)

접두사 ex : 바깥
exotic 이국적인
expend 소비하다

▸ You should not **exclude** someone from a job position based on their religion.
당신은 종교를 근거로 누군가를 직책에서 제외해서는 안 된다.

명 exclusion 제외, 배제
형 exclusive 배타적인, 독점적인
부 exclusively 배타[독점]적으로

169

medicine
[médəsin]
명 (조제한) **약**

▸ take **medicine** 약을 먹다

▸ I often forget to take my **medicine** three times a day.
나는 종종 약 먹는 것을 까먹는다.

170

devote
[divóut]
동 **바치다, 헌신하다**
(= dedicate)

▸ Many people **devoted** themselves to protecting political liberty. 많은 사람들이 정치적 자유를 수호하는데 헌신했다.

명 devotion 헌신, 전념

171

continue

[kəntínjuː]

동 **계속하다**

(↔ discontinue 중단시키다)

▸ The world's population **continues** to grow.
세계 인구가 계속 증가한다.

형 continuous 계속되는

172

peninsula

[pənínsjulə]

명 **반도**

▸ It is very important to make emotional unity in the Korean **Peninsula**. 한반도에서 정서적 통일을 이루는 것은 매우 중요하다.

173

innocent

[ínəsnt]

형 ① **순진한**
② **무죄인** (↔ guilty 유죄인)

▸ The seemingly **innocent** man hides an evil purpose.
겉보기에 순진해 보이는 그 남자는 사악한 목적을 숨기고 있다.

▸ The judge found him **innocent** of the crime.
판사는 그가 그 범죄에 대해 무죄라고 판결했다.

명 innocence 결백, 무죄; 순수

174

reject

[ridʒékt]

동 **거절[거부]하다**
(= refuse)

▸ She **rejected** his offer of help.
그녀는 그의 도움의 제의를 거절했다.

▸ They **rejected** his idea as being too risky.
그들은 그의 아이디어가 너무 위험하다고 거절했다.

명 rejection 거절, 거부

어근 **ject** : 던지다

inject 주사하다
project 계획하다

175

motivate

[móutəvèit]

동 **동기부여하다**

▸ The boss used a number of methods to **motivate** his employees.
그 사장은 직원들을 동기부여시키기 위해 많은 방법들을 썼다.

명 motive 동기

명 motivation 동기부여

176

behavior

[bihéivjər]

명 **행동**

▸ Rewards for good **behavior** help a child to make better decisions.

훌륭한 행동에 대한 보상이 아이에게 더 좋은 결정들을 내리도록 돕는다.

동 behave 행동하다

177

civilian

[sivíljən]

명 **민간인**

형 **민간인의**

▸ The **civilian** airplane got slightly off the normal route.

그 민간 항공기는 정상 항로에서 약간 벗어났다.

형 civil 시민의, 민간의

178

detailed

[ditéild]

형 **상세한, 세부적인**

▸ A **detailed** explanation of the word is shown in the dictionary. 그 단어에 대한 상세한 설명이 사전에 나와 있다.

명 detail 세부 사항

179

promising

[prámisiŋ]

형 **촉망되는, 유망한**

▸ He is thought to be a **promising** young actor.

그는 촉망되는 젊은 배우로 여겨진다.

180

seemingly

[síːmiŋli]

부 **겉으로는, 겉보기에는**

▸ The seemingly normal couple actually had many hidden secrets.

겉보기에 정상적인 그 부부는 실제로는 숨겨진 비밀들이 많이 있었다.

형 seeming 겉보기의, 외견상의

DAY 6 - TEST

A 다음 단어들을 영어는 한글로 한글은 영어로 쓰세요.

1 **vain** •
2 **valuable** •
3 **spoil** •
4 **diverse** •
5 **author** •
6 **subjective** •
7 **continue** •
8 **reject** •
9 **behavior** •
10 **seemingly** •

1 민간인 •
2 영감을 주다 •
3 주장 •
4 기술 •
5 지지하다 •
6 사라지다 •
7 장벽 •
8 제외하다 •
9 유망한 •
10 반도 •

C 다음 밑줄 친 단어와 같은 의미의 단어를 고르세요.

1 We need to recognize that we live in a culturally diverse society.
ⓐ modest ⓑ essential ⓒ violent ⓓ various

2 He was able to provide the police with some valuable information.
ⓐ precious ⓑ variable ⓒ intense ⓓ swift

3 The prime minister rejected the suggestion that it was time for him to resign.
ⓐ refined ⓑ referred ⓒ refused ⓓ represented

4 Our puppy disappeared just after lunch, but we are hoping he comes back home before dark.
ⓐ intended ⓑ vanished ⓒ hesitated ⓓ implied

B 다음 중 올바른 뜻을 고르세요.

1	**author**	□ 작가	□ 출판사
2	**inspire**	□ 열망하다	□ 영감을 주다
3	**diverse**	□ 다양한	□ 획일적인
4	**support**	□ 추측하다	□ 지지하다
5	**caution**	□ 주의	□ 주장
6	**barrier**	□ 장벽	□ 장애물
7	**devote**	□ 반항하다	□ 헌신하다
8	**behavior**	□ 행동	□ 연속
9	**detailed**	□ 상세한	□ 빽빽한
10	**promising**	□ 부러워하는	□ 촉망되는

1	**헛된**	□ vain	□ faint
2	**사라지다**	□ appear	□ disappear
3	**망치다**	□ spoil	□ spread
4	**~되다**	□ become	□ beware
5	**주제**	□ theory	□ theme
6	**제외하다**	□ conclude	□ exclude
7	**거절하다**	□ reject	□ inject
8	**동기부여하다**	□ remove	□ motivate
9	**민간인**	□ citizen	□ civilian
10	**겉으로는**	□ barely	□ seemingly

D 다음 빈칸에 알맞은 단어를 고르세요.

1 They won the award for the most ________________ new band of the year.

ⓐ willing ⓑ promising ⓒ rewarding ⓓ stimulating

2 He ________________ many young people to take up the sport.

ⓐ expired ⓑ became ⓒ inspired ⓓ devoted

3 The judges decided to ________________ evidence which had been unfairly obtained.

ⓐ collect ⓑ exclude ⓒ destroy ⓓ submit

day
7

» 181
210

오늘 학습할 필수 단어입니다. 눈으로 스캔하며 모르거나 헷갈리는 단어에 체크하세요.

- □ **march** 행진하다
- □ **contract** 계약서
- □ **chairman** 의장, 회장
- □ **mutual** 상호간의
- □ **customer** 손님, 고객
- □ **obedient** 순종적인, 복종하는
- □ **blame** ~을 탓하다
- □ **commit** (나쁜 일을) 저지르다
- □ **depict** 묘사하다
- □ **significant** ① 중요한 ② 상당한
- □ **introduce** 소개하다
- □ **navigate** 항해하다
- □ **disaster** 재난, 재해
- □ **ecology** 생태계
- □ **passerby** 행인
- □ **urge** 촉구하다, 재촉하다
- □ **vehicle** 차량, 탈것
- □ **emission** 배출(물)
- □ **period** 기간
- □ **autobiography** 자서전

- □ **drown** 익사시키다, 물에 빠져 죽다
- □ **politician** 정치인
- □ **adequate** 충분한
- □ **violence** 폭행, 폭력
- □ **merit** ~받을만하다
- □ **suit** ① 정장, (한 벌의) 옷 ② 소송
- □ **lean** 기대다, (몸을) 기울이다
- □ **component** 요소, 부품
- □ **fatigue** 피로
- □ **negotiate** 협상하다

181

march
[maːrtʃ]
동 **행진하다**

▸ The soldiers **marched** across the battlefield with their heads held high.
그 군인들은 머리를 높이 들고 전장을 가로질러 행진했다.

Tip March 3월 ← **M**을 **대문자**로 쓰는 것에 유의

182

contract
[kəntrǽkt]
명 **계약서**
동 ① **계약하다**
② (병에) **걸리다**

어근 **tract** : 끌다
attract 매혹하다
abstract 추상적인

▸ draw up a **contract** 계약서를 작성하다

▸ If you break the **contract**, you will get sued.
만약 계약을 어기면 당신은 고소될 것이다.

명 contractor 계약자

183

chairman
[tʃərmən]
명 **의장, 회장**

▸ He was appointed as the **chairman** of the committee.
그는 그 위원회의 의장으로 선출되었다.

184

mutual
[mjúːtʃuəl]
형 **상호간의**

▸ **Mutual** trust and love is the key to a successful marriage.
상호 신뢰와 사랑이 성공적인 결혼 생활의 열쇠다.

명 mutuality 상호 관계

185

customer
[kʌ́stəmər]
명 **손님, 고객**

▸ The actress is a regular **customer** of the beauty salon.
그 여배우는 그 미용실 단골 고객이야.

Tip customer : **가게, 상점**의 손님[고객]
guest : **파티, 잔치**에 초대되어 온 손님[하객]

186

obedient

[oubí:diənt]

형 **순종적인, 복종하는**

(↔ disobedient 반항하는)

▸ All citizens should be **obedient** to the law.
모든 시민들은 법에 순종해야 한다.

명 obedience 순종, 복종

동 obey ~에 따르다, 복종하다

187

blame

[bleim]

동 **~을 탓하다,**
(책임을) **~에게 돌리다**

▸ The driver **blamed** me for the car accident.
그 운전자는 차 사고의 원인을 나에게 돌렸다.

형 blameworthy 탓할 만한, 책임이 있는

Tip blame은 명사로 '(잘못에 대한) 책임'으로도 쓰임

188

commit

[kəmít]

동 (나쁜 일을) **저지르다**

▸ His evil mind has led him to **commit** a crime.
사악한 마음이 그에게 범죄를 저지르게 했다.

어근 **mit/mis : 보내다**

missile 미사일
emit 발사하다

189

depict

[dipíkt]

동 **묘사하다**(= describe, portray)

▸ The astronaut **depicted** the view of the earth from space.
그 우주 비행사는 우주에서 본 지구의 경관을 묘사했다.

190

significant

[signífikənt]

형 ① **중요한, 의미심장한**
② **상당한**
(= considerable, substantial)

▸ Independence was a **significant** event in the history of our nation. 독립은 우리나라 역사에 중요한 사건이었다.

▸ He won a **significant** amount of money.
그는 상당한 액수의 돈을 벌었다.

명 significance 중요성

191

introduce
[ìntrədjúːs]
동 ① 소개하다
② 도입하다

▸ Let me **introduce** myself to you in English.
제 자신을 여러분께 영어로 소개해 볼게요.

▸ The company like Amazon **introduced** drones as a means of delivery. 아마존 같은 회사는 배달 수단으로 드론을 도입했다.

명 introduction 소개; 도입

192

navigate
[nǽvəgèit]
동 항해하다

▸ Early explorers had **navigated** by the stars for a long time.
초기 탐험가들은 오랫동안 별들을 따라 항해했었다.

참고 circumnavigate : (세계) 일주를 하다

193

disaster
[dizǽstər]
명 재난, 재해

▸ The earthquake was the worst natural **disaster**.
그 지진은 최악의 자연 재해였다.

형 disastrous 비참한, 처참한

194

ecology
[ikálədʒi]
명 생태학

▸ The oil spill caused terrible damage to **ecology**.
기름 유출은 생태계에 끔찍한 피해를 초래했다.

형 ecological 생태계의

비교 ecosystem 생태계

195

passerby
[pǽsərbai]
명 행인

▸ The begger bent his back to beg **passersby** for money.
그 거지는 행인들에게 돈을 구걸하기 위해 허리를 굽혔다.

비교 pedestrian 보행자

어근 pass : 지나가다

passenger 승객
passage 통과, 통로

196

urge
[ə:rdʒ]
동 촉구하다, 재촉하다

▸ The environment organization is **urging** a ban on the chemical. 그 환경단체는 그 화학 물질의 금지를 촉구하고 있다.

형 urgent 긴급한

197

vehicle
[ví:ikl]
명 차량, 탈것

▸ The new sports utility **vehicle** continues to show steady sales. 그 새로운 SUV 차량은 계속해서 꾸준한 판매를 보이고 있다.

day 7

198

emission
[imíʃən]
명 배출(물)

▸ The government will limit carbon dioxide **emissions**.
정부는 이산화탄소 배출량을 제한할 것이다.

동 emit 내다, 배출하다(= give off)

199

period
[píriəd]
명 기간

▸ 25 people were killed by gun violence over a **period** of three days.
25명이 3일 동안 총기 폭력에 의해 목숨을 잃었다.

형 periodical 정기적인

200

autobiography
[ɔ:təbaiágrəfi]
명 자서전

▸ His **autobiography** includes his life and religious ideas.
그의 자서전은 그의 삶과 종교적 사상들을 담고 있다.

접두사 auto- : 스스로
automobile 자동차
automatic 자동의

201

drown
[draun]

동 **익사시키다**

▸ Three children were **drowned** in the river.
세 명의 아이들이 강물에 빠져죽었다.

형 drowned 익사한

202

politician
[pɑ̀litíʃən]

명 **정치인**

▸ The young **politician** doesn't care about money or power at all. 그 젊은 정치인은 돈이나 권력에 전혀 신경 쓰지 않는다.

명 politics 정치 ← 단수 취급에 주의

203

adequate
[ǽdikwət]

형 **충분한, 적당한**
(↔ inadequate 불충분한)

▸ We didn't have **adequate** time to prepare.
우리는 준비할 수 있는 충분한 시간이 없었다.

명 adequacy 적절, 타당성

204

violence
[váiələns]

명 **폭행, 폭력**

▸ The principal will take tough action against **violence** in the school. 그 교장은 교내 폭력에 대해 강경한 조치를 취할 것이다.

형 violent 폭력적인, 난폭한

비교 violation 위반, 침해

접미사 -ence : 명사형성
difference 차이
silence 침묵

205

merit
[mérit]

동 **~받을만하다**
(= deserve)

▸ The child abuse case **merits** social attention.
그 아동학대 사건은 사회적 관심을 받을만하다.

Tip merit 명사로는 '장점, 가치'

206

suit

[suːt]

명 ① **정장,** (한 벌의) **옷**
② **소송**

동 **~에 어울리다**

▸ He likes to wear a **suit**. 그는 정장입는 것을 좋아한다.

▸ She filed a **suit** against her ex-husband.
그녀는 전 남편을 상대로 소송을 제기했다.

동 sue 고소하다, 소송을 제기하다

day 7

207

lean

[liːn]

동 **기대다,** (몸을) **기울이다**

▸ The runner paused during her run to **lean** against the fence. 달리기 선수는 펜스에 기대기 위해 뛰는 동안 잠시 멈췄다.

208

component

[kəmpóunənt]

명 **요소, 부품**(= ingredient)

▸ Garlic is an essential **component** of this recipe.
마늘은 이 조리법의 필수적인 요소다.

209

fatigue

[fətíːg]

명 **피로**(= tiredness, exhaustion)

▸ Despite his **fatigue**, the athlete refused to stop running until he crossed the finish line.
피곤함에도 불구하고 그 선수는 결승선을 통과할 때까지 달리기를 멈추지 않았다.

210

negotiate

[nigóuʃièit]

동 **협상하다**

▸ We began to **negotiate** a deal that would satisfy each other. 우리는 서로 만족할 만한 거래를 협상하기 시작했다.

명 negotiation 협상

DAY 7 - TEST

A 다음 단어들을 영어는 한글로 한글은 영어로 쓰세요.

1	mutual	1	행진하다
2	obedient	2	계약서
3	commit	3	~을 탓하다
4	depict	4	소개하다
5	significant	5	재촉하다
6	disaster	6	기간
7	emission	7	자서전
8	drown	8	정치인
9	adequate	9	피로
10	component	10	협상하다

C 다음 밑줄 친 단어와 같은 의미의 단어를 고르세요.

1 Students are expected to be quiet and obedient in the classroom.

ⓐ submissive ⓑ confident ⓒ effective ⓓ excessive

2 Please inform us if there are any significant changes in your plans.

ⓐ principal ⓑ important ⓒ passive ⓓ optimistic

3 It's not a big salary but it's adequate for our needs.

ⓐ practical ⓑ reverse ⓒ extensive ⓓ sufficient

4 This social issue merits special attention.

ⓐ deserves ⓑ conserves ⓒ reserves ⓓ preserves

B 다음 중 올바른 뜻을 고르세요.

1	**mutual**	□ 일방적인	□ 상호간의
2	**customer**	□ 주인	□ 고객
3	**obedient**	□ 순종적인	□ 반항적인
4	**significant**	□ 중요한	□ 직접적인
5	**emission**	□ 허락	□ 배출
6	**introduce**	□ 소개하다	□ 묘사하다
7	**drown**	□ 익사시키다	□ 잠수하다
8	**violence**	□ 폭행	□ 위반
9	**politician**	□ 정치인	□ 명성
10	**lean**	□ 기대다	□ 감소하다

1	**계약서**	□ attract	□ contract
2	**~를 탓하다**	□ blame	□ flame
3	**묘사하다**	□ declare	□ depict
4	**항해하다**	□ navigate	□ negotiate
5	**생태학**	□ biology	□ ecology
6	**자서전**	□ biography	□ autobiography
7	**차량, 탈것**	□ vehicle	□ vessel
8	**충분한**	□ adequate	□ obvious
9	**~받을만하다**	□ obtain	□ merit
10	**피로**	□ fatigue	□ witness

D 다음 빈칸에 알맞은 단어를 고르세요.

1 The robber used a weapon to ______________ a crime.

ⓐ admit ⓑ commit ⓒ permit ⓓ submit

2 The government has tried to reduce the ______________ of greenhouse gases.

ⓐ witness ⓑ triumph ⓒ transmission ⓓ emission

3 The police said she was a victim of domestic ______________.

ⓐ component ⓑ fatigue ⓒ violence ⓓ ecology

day
8

» 211
240

오늘 학습할 필수 단어입니다. 눈으로 스캔하며 모르거나 헷갈리는 단어에 체크하세요.

- □ **apologize** 사과하다
- □ **prompt** 즉각적인
- □ **core** 핵심
- □ **extreme** 극심한, 극단적인
- □ **lack** 부족, ~이 부족하다
- □ **touching** 감동적인
- □ **process** 과정
- □ **suspicion** 의심, 혐의
- □ **exhaust** (완전히) 지치게 하다
- □ **welfare** 복지, 후생
- □ **handle** 다루다, 처리하다
- □ **available** 이용[구]할 수 있는
- □ **extraordinary** 이상한
- □ **acknowledge** 인정하다
- □ **threaten** 위협[협박]하다
- □ **poll** 여론조사
- □ **confuse** ① 혼란시키다 ② 혼동하다
- □ **resolution** 결심
- □ **bar** 금지하다, 막다
- □ **bomb** 폭탄

- □ **riddle** 수수께끼
- □ **electronic** 전자의
- □ **exceed** 초과하다
- □ **case** ① 경우 ② 사건, 소송
- □ **treasure** 보물
- □ **promote** 고취[촉진]하다
- □ **notion** 개념, 생각
- □ **obligatory** 의무적인
- □ **storage** 저장, 보관
- □ **invade** 침입하다

211

apologize
[əpάlədʒàiz]
동 사과하다

▸ She **apologized** to her friend for losing her temper.
그녀는 화를 낸 것에 대해 친구에게 사과했다.

명 apology 사과

형 apologetic 사과하는

212

prompt
[prampt]
형 즉각적인
(= immediate, instant)

▸ The victims of the disaster needs **prompt** medical assistance. 그 재난의 희생자들은 신속한 의료 지원이 필요하다.

명 promptness 재빠름, 신속

213

core
[kɔːr]
명 핵심

▸ I was able to get to the **core** of the problem.
나는 문제의 핵심을 파악할 수 있었다.

214

extreme
[ikstríːm]
형 극심한, 극단적인

▸ **Extreme** measures need to be taken to protect children from guns.
어린이들을 총으로부터 보호하기 위해 극단적인 조치가 취해져야 한다.

부 extremely 극도로, 극히

215

lack
[læk]
명 부족
동 ~이 부족하다

▸ The problem is a **lack** of experience. 문제는 경험 부족이다.

▸ The candidate **lacks** a good strategy for winning the election.
그 후보는 선거 승리를 위한 좋은 전략이 부족하다.

숙어 lacking in ~이 없는, 부족한

216

touching

[tʌtʃiŋ]

형 **감동적인**(= moving)

▸ The leader gave a **touching** speech that moved most people to tears.
그 지도자는 감동적인 연설을 해서 대부분의 사람들을 울렸다.

Tip touch에 동사로 '감동시키다'가 있음을 먼저 알아두자!

217

process

[práses]

명 **과정**

동 **처리하다**

▸ Elementary education is the most important education **process**. 초등 교육은 가장 중요한 교육과정이다.

동 proceed 진행하다, 계속하다

비교 procedure 절차

접두사 pro : 앞으로

progress 전진하다, 발전하다
product 제품

218

suspicion

[səspíʃən]

명 **의심, 혐의**

▸ They are under **suspicion** of selling illegal drugs.
그들은 불법 마약을 판매한 혐의를 받고 있다.

동 suspect ~을 수상하게 여기다

형 suspicious 수상한, 의심스러운

219

exhaust

[igzɔ́:st]

동 (완전히) **지치게 하다, 고갈시키다**

▸ The 4-hour test **exhausted** many students.
4시간의 테스트는 많은 학생들을 지치게 했다.

명 exhaustion 기진맥진, 고갈

형 exhausting 지치게 하는

220

welfare

[wélfεər]

명 **복지, 후생**

▸ The Swedish social **welfare** system is known to every country. 스웨덴의 사회복지제도는 모든 나라에 알려져 있다.

비교 warfare 전투, 전쟁

221

handle

[hǽndl]

동 **다루다, 처리하다** (= deal with)

▸ Super computers can **handle** huge amounts of data.
슈퍼 컴퓨터들은 엄청난 양의 데이터를 처리할 수 있다.

222

available

[əvéiləbl]

형 **이용[구]할 수 있는**(↔ unavailable 구할 수 없는)

▸ Since the game was **available** on the app store, I downloaded it onto my cell phone.
그 게임은 앱스토어에서 이용할 수 있기 때문에 나는 휴대폰에 다운로드 받았다.

223

extraordinary

[ikstrɔ́:rdənèri]

형 ① **이상한**
② **대단한**(= excellent)

▸ His behavior in the morning was quite **extraordinary**.
아침에 그의 행동은 아주 이상했다.

▸ She is an **extraordinary** pianist who has played for several royal families. 그녀는 몇몇 왕실에서 연주해 온 대단한 피아니스트이다.

접두사 extra : ~외의

extra 전진하다, 발전하다
extravagant 사치스러운

224

acknowledge

[əknɑ́lidʒ]

동 **인정하다**(= admit, recognize)

▸ My father is a Catholic, but he **acknowledges** folk religious custom. 우리 아버지는 천주교 신자지만, 민간 신앙의 관습을 인정하신다.

225

threaten

[θrétn]

동 **위협[협박]하다** (= frighten)

▸ The terrorist group **threatened** to explode the power plant.
그 테러단체는 그 발전소를 폭파시키겠다고 위협했다.

226

poll
[poul]

명 **여론조사**(= survey)

▸ Many companies use a **poll** to determine how satisfied their customers are with their products.
많은 회사들은 그들의 고객들이 그들의 제품들에 얼마나 만족하는지를 결정하기 위해 설문조사를 사용한다.

227

confuse
[kənfjú:z]

동 ① **혼란시키다**
② **혼동하다**

어근 **fus** : 붓다

infuse 주입하다
fusion 융합, 융해

▸ He was **confused** by many of the scientific terms in the article.
그는 기사의 많은 과학 용어들 때문에 혼란스러웠다.

▸ I always **confuse** my neighbor's twin boys.
나는 늘 이웃의 쌍둥이 소년들을 혼동한다.

명 confusion 혼란; 혼동

형 confused 혼란스러운

228

resolution
[rèzəlú:ʃən]

명 **결심**

▸ As his New Year's **resolution**, my husband finally decided to quit smoking.
새해 결심으로 우리 남편은 마침내 담배를 끊기로 결심했다.

동 resolve 해결하다; 결심하다

229

bar
[ba:r]

동 **금지하다, 막다**(= block, prevent, forbid)

▸ The court seized his passport and **barred** him from leaving the country. 법원은 그의 여권을 압류하고 출국 금지시켰다.

230

bomb
[bam]

명 **폭탄**

▸ Dozens of people were injured when the **bomb** exploded.
폭탄이 터졌을 때 수십 명의 사람들이 부상을 입었다.

명 bombing 폭격

Tip bomb[밤]에서 'b'는 묵음임에 유의

231

riddle
[rídl]
명 **수수께끼**

▸ I'll give a candy to the first person who solves the **riddle**.
수수께끼를 첫 번째로 푼 사람에게 사탕을 줄게.

232

electronic
[ilektránik]
형 **전자의**

▸ The store sells **electronic** devices such as televisions and computers. 그 상점은 TV와 컴퓨터와 같은 전자 장치들을 판다.

Tip electric 전기의

233

exceed
[iksí:d]
동 (양이) **초과하다**

▸ She got a speeding ticket because she **exceeded** the speeding limit on the road.
그녀는 도로 속도 제한을 초과했기 때문에 과속 딱지를 끊었다.

형 excessive 지나친, 과도한
명 excess 초과; 과도

어근 ceed : 가다
succeed 성공하다
precede 선행하다

234

case
[keis]
명 ① **경우**
② **사건, 소송**

▸ In **case** of fire, push the alarm button.
화재 시에는 경보 버튼을 누르시오.

▸ Police began an investigation into the murder **case**.
경찰은 그 살인사건에 대한 수사를 시작했다.

Tip case by case 개별적으로, 사례별로

235

treasure
[tréʒər]
명 **보물**

▸ There is a legend about the pirates' buried **treasure** in the area. 그 지역에는 해적들이 묻혀 있는 보물에 대한 전설이 있다.

명 treasury 보물창고

236

promote
[prəmóut]

동 ① 촉진하다, 장려하다
② 승진시키다

어근 mot : 움직이다

remote 먼, 외딴
motive 동기

▸ They held a meeting to **promote** trade between the two countries. 그들은 양국 간의 무역을 촉진시키기 위한 회의를 열었다.

명 promotion 승진; 홍보

day 8

237

notion
[nóuʃən]

명 개념, 생각(= concept)

▸ The traditional **notion** of family goes back thousands of years. 가족에 대한 전통적인 관념은 수천 년 전으로 거슬러 올라간다.

238

obligatory
[əblígətɔ̀:ri]

형 의무적인
(= compulsory)

▸ It is **obligatory** that all motorcycle riders wear helmets. 모든 오토바이 운전자는 의무적으로 헬멧을 써야 한다.

명 obligation 의무

239

storage
[stɔ́:ridʒ]

명 저장, 보관

▸ They moved to a large house with lots of **storage** space. 그들은 저장 공간이 많은 큰 집으로 이사 갔다.

동 store 저장[보관]하다

240

invade
[invéid]

동 침입하다

▸ The troops **invaded** the enemy occupied city at dawn. 그 군대가 새벽에 적이 점령한 도시를 침공했다.

명 invasion 침입
명 invader 침입자

DAY 8 - TEST

A 다음 단어들을 영어는 한글로 한글은 영어로 쓰세요.

1 **prompt** •
2 **extreme** •
3 **touching** •
4 **process** •
5 **exhaust** •
6 **threaten** •
7 **confuse** •
8 **resolution** •
9 **electronic** •
10 **obligatory** •

1 사과하다 •
2 핵심 •
3 부족 •
4 의심 •
5 과정 •
6 여론조사 •
7 폭탄 •
8 수수께끼 •
9 보물 •
10 침입하다 •

C 다음 밑줄 친 단어와 같은 의미의 단어를 고르세요.

1 The robber threatened the shopkeeper with a gun.
ⓐ frightened ⓑ unified ⓒ utilized ⓓ hatched

2 The victims need prompt medical assistance.
ⓐ infectious ⓑ immediate ⓒ obedient ⓓ urgent

3 His behaviour that morning was quite extraordinary.
ⓐ illegal ⓑ justifiable ⓒ unusual ⓓ intuitive

4 I don't think he has any notion of the seriousness of the situation.
ⓐ limit ⓑ license ⓒ particle ⓓ conception

B 다음 중 올바른 뜻을 고르세요.

1	**apologize**	□ 포기하다	□ 사과하다
2	**process**	□ 과정	□ 전진
3	**exhaust**	□ 지치게 하다	□ 배출하다
4	**available**	□ 구할 수 있는	□ 능력 있는
5	**welfare**	□ 이주	□ 복지
6	**resolution**	□ 결심	□ 반응
7	**bomb**	□ 향유	□ 폭탄
8	**obligatory**	□ 평범한	□ 의무적인
9	**treasure**	□ 보물	□ 화물
10	**storage**	□ 저장	□ 상점

1	**감동적인**	□ touching	□ willing
2	**의심**	□ suspicion	□ resignation
3	**다루다**	□ hinder	□ handle
4	**여론조사**	□ poll	□ opinion
5	**혼란시키다**	□ confuse	□ diffuse
6	**금지하다**	□ stick	□ bar
7	**수수께끼**	□ riddle	□ competition
8	**초과하다**	□ proceed	□ exceed
9	**전자의**	□ electrical	□ electronic
10	**침입하다**	□ evade	□ invade

D 다음 빈칸에 알맞은 단어를 고르세요.

1 He ____________ to his wife and children for losing his temper.

ⓐ inhibited ⓑ apologized ⓒ performed ⓓ refined

2 Working these long hours will just ____________ you.

ⓐ exhaust ⓑ exceed ⓒ exclaim ⓓ expand

3 His strange behaviour raised his neighbours' ____________.

ⓐ demands ⓑ influences ⓒ incidents ⓓ suspicions

day
9

» 241
270

오늘 학습할 필수 단어입니다. 눈으로 스캔하며 모르거나 헷갈리는 단어에 체크하세요.

- □ **apply** ① 바르다 ② 적용하다 ③ 지원하다
- □ **landscape** 풍경, 경치
- □ **occasionally** 가끔
- □ **stove** 난로, (가스)레인지
- □ **disadvantage** 불리한 점
- □ **medium** 중간의, 매체, 매개물
- □ **cottage** (시골의) 작은 집
- □ **widow** 미망인, 과부
- □ **foundation** ① 토대 ② 재단
- □ **deliver** ① 배달하다 ② (연설)하다
- □ **plumber** 배관공
- □ **aboard** 탄, 탑승한
- □ **fatal** 치명적인
- □ **pillar** 기둥
- □ **orbit** 궤도
- □ **overcome** 극복하다
- □ **practical** 실용적인, 실제적인
- □ **worship** 숭배하다
- □ **spouse** 배우자
- □ **principal** 주요한, 교장

- □ **serious** ① 심각한 ② 진지한
- □ **seldom** 좀처럼 ~않는
- □ **descendant** 자손, 후손
- □ **soar** (값이) 치솟다, 급등하다
- □ **unless** ~하지 않으면
- □ **stimulate** 자극하다
- □ **stir** (휘)젓다
- □ **whether** ~인지 (아닌지)
- □ **decay** 썩다, 부패하다
- □ **destination** 도착지, 목적지

241

apply
[əplái]
동 ① 바르다
② 적용하다
③ 지원하다

어근 ply : 접다
imply 접다
reply 응답하다

▸ My daddy **applied** blue paint on the wall.
아빠가 벽에 파란색 페인트를 칠하셨다.

명 application 적용; 신청

숙어 apply for 신청하다, 지원하다

242

landscape
[lǽndskèip]
명 풍경, 경치

▸ I was admired by the beauty of the mountain's **landscape**.
나는 그 산의 경치의 아름다움에 감탄했다.

243

occasionally
[əkéiʒənəli]
부 가끔(= sometimes, from time to time)

▸ Although we go out for dinner **occasionally**, in the main we eat our meals at home.
가끔 우리는 외식하러 나가지만 대체로 집에서 식사한다.

명 occasion 때, 행사

244

stove
[stouv]
명 난로, (가스)레인지

▸ She put the pan on the **stove** over medium heat.
그녀는 중불이 켜있는 가스레인지 위에 팬을 올려놓았다.

245

disadvantage
[dìsədvǽntidʒ]
명 불리한 점, 약점
(↔ advantage 이점, 장점)

▸ The young baseball player's lack of experience is a big **disadvantage**. 그 젊은 야구 선수의 경험 부족이 큰 약점이다.

형 disadvantágeous 불리한

246

medium

[míːdiəm]

형 **중간의**

명 **매체, 매개물**

어근 med : 중간

middle 중간의
meddle 간섭하다

▸ These T-shirts are available in three sizes: small, **medium**, and large. 이 셔츠는 소, 중, 대 세 가지 사이즈가 있습니다.

▸ Mass **media** mean technology that is intended to reach a mass audience. 대중 매체는 대중들에게 다가가기 위한 기술을 의미한다.

Tip medium은 단수, media는 복수임에 유의

247

cottage

[kátidʒ]

명 (시골의) **작은 집**

▸ The small **cottage** was hidden deep inside the woods. 그 작은 오두막은 숲 속 깊은 곳에 숨겨져 있었다.

248

widow

[wídou]

명 **미망인, 과부**
(↔widower 홀아비)

▸ These war **widows** are paid a war widow's pension by the government. 이 전쟁 미망인들은 정부로부터 전쟁 미망인 연금을 받는다.

249

foundation

[faundéiʃən]

명 ① **토대, 기초; 근거**
② **재단**

▸ The inspector discovered a crack in the building's **foundation**. 그 검사관은 그 건물의 기초에 금이 간 것을 발견했다.

▸ The church established a **foundation** to help orphaned children. 그 교회는 고아가 된 아이들을 돕기 위한 재단을 설립했다.

250

deliver

[dilívər]

동 ① **배달하다**
② **연설하다**
③ **해방시키다**

▸ The package will be **delivered** to the office this afternoon. 그 소포는 오늘 오후 사무실에 배달될 것이다.

▸ The President **delivered** an address at the opening ceremony. 대통령이 개막식에서 연설했다.

명 delivery 배달; 분야

명 deliverance 구출, 해방

251

plumber
[plʌ́mər]
명 **배관공**

▸ As water is leaking from the pipe, we need to call a **plumber**.
파이프에서 물이 새니까 배관공을 불러야 되겠어.

Tip plumber[플러머]에서 'b'가 묵음임에 유의

252

aboard
[əbɔ́:rd]
형 **탄, 탑승한**

▸ The plane crashed, killing all 240 people **aboard**.
그 비행기가 추락했고 탑승한 240명 승객 모두 사망했다.

비교 abroad 해외에서, 해외로

접두사 a : '상태(on)'의 의미
alive 살아있는
asleep 잠든

253

fatal
[féitl]
형 **치명적인**

▸ A **fatal** blow to the head resulted in the death.
머리에 가해진 치명적인 타격이 사망으로 이어졌다.

명 fate 운명
명 fatality 치사율; 사망자

254

pillar
[pílər]
명 **기둥**(= column)

▸ Six massive stone **pillars** supported the roof.
6개의 큰 돌 기둥들이 그 지붕을 지탱했다.

255

orbit
[ɔ́:rbit]
명 **궤도**

▸ The scientist measured the moon's **orbit** around the Earth.
그 과학자가 지구 주위를 도는 달의 궤도를 측정했다.

확장 exorbitant 과도한, 지나친

256

overcome

[ouvərkʌ́m]

동 **극복하다**(= get over)

▸ There is nothing in the world that we could not **overcome**.
세상에 우리가 극복할 수 없는 것은 없다.

불규칙 overcome - overcame - overcome

접두사 over- : ① 위 ② ~을 넘어

① overall 전반적인

② overseas 해외의

257

practical

[prǽktikəl]

형 **실용적인, 실제적인**

▸ The book shows some **practical** ways to invest in stocks.
그 책은 주식에 투자하는 실제적인 방법을 보여준다.

명 practice 실행; 연습

258

worship

[wə́ːrʃip]

동 **숭배하다**

▸ Many ancient cultures **worshipped** the sun and the river.
많은 고대 문화들은 태양과 강을 숭배했다.

259

spouse

[spauz]

명 **배우자**

▸ Once I marry Andrew, he will become my **spouse**.
내가 앤드류와 결혼하면 그는 나의 배우자가 될 것이다.

260

principal

[prínsəpəl]

형 **주요한, 주된**
(= main, chief)

명 **교장**

▸ Vegetables and meat are the **principal** ingredients in this cooking. 야채와 고기가 이 요리의 주된 재료들이다.

▸ My husband is the **principal** of the high school.
내 남편이 그 고등학교의 교장이다.

261

serious
[síəriəs]

형 ① 심각한
② 진지한

▸ The soccer player suffered **serious** injury during the game.
그 축구 선수는 경기 도중 심각한 부상을 입었다.

▸ Their romance is quite **serious**. I think they will get married.
그들의 연애는 꽤 진지해. 내 생각엔 결혼할 것 같아.

명 seriousness 심각함; 진지함

Tip "Are you serious? 너 진심이야?"라는 표현도 꼭 알아두자!

262

seldom
[séldəm]

부 좀처럼 ~않는
(= rarely, hardly)

▸ He **seldom** speaks when he gets angry.
그는 화나면 좀처럼 말을 안 한다.

Tip seldom의 품사가 '부사'임에 유의하자!

263

descendant
[diséndənt]

명 자손, 후손
(↔ ascendant 조상)

▸ He claims that he is a **descendant** of the king.
그는 왕의 후손이라고 주장한다.

동 descend 내려가다

접미사 - ant : '사람'의 의미
assistant 조교, 조수
resistant 저항자

264

soar
[sɔːr]

동 (값이) 치솟다, 급등하다

▸ The price of petrol has **soared** in recent weeks.
최근 몇 주 동안 휘발유 가격이 급등했다.

비교 sore (몸의 어느 부위가) 아픈

265

unless
[ənlés]

접 ~하지 않으면
(= if not)

▸ You will fail the exam **unless** you do your best.
최선을 다하지 않으면 넌 시험에서 떨어질 거야.

266

stimulate

[stímjulèit]

동 자극하다

▶ The delicious smell from the kitchen **stimulated** my appetite. 부엌에서 나는 맛있는 냄새가 내 식욕을 자극했다.

명 stimulation 자극

267

stir

[stəːr]

동 (휘)젓다

▶ Add salt to flour, **stir** well and then make dough.
밀가루에 소금을 넣고 잘 저은 후 반죽을 만드세요.

숙어 stir up (강한 감정을) 불러일으키다

day 9

268

whether

[hwéðər]

접 ① ~인지 (아닌지)
② ~이든 아니든

▶ I'm not sure **whether** I'll have hamburgers or spaghetti for lunch. 점심에 햄버거를 먹을지 스파게티를 먹을지 확실하지 않다.

▶ **Whether** you succeed or fail, you must try.
성공하든 실패하든 너는 시도해봐야 한다.

269

decay

[dikéi]

동 썩다, 부패하다(= rot)

명 부패, 부식

▶ If you eat too many sweet candies, your teeth will **decay**.
단 사탕을 너무 많이 먹으면 네 이빨 썩는다.

▶ You have tooth **decay**.
너 충치가 있다.

접두사 de- : ① 아래 ② 이탈

decrease 감소하다

delay 연기하다

270

destination

[dèstənéiʃən]

명 도착지, 목적지
(↔ departure 출발지)

▶ The package is going to reach its **destination** two days later. 그 소포는 이틀 후에 도착지에 도착할 예정이다.

비교 destiny 운명

DAY 9 - TEST

A 다음 단어들을 영어는 한글로 한글은 영어로 쓰세요.

1 landscape •
2 medium •
3 widow •
4 fatal •
5 pillar •
6 orbit •
7 plumber •
8 serious •
9 seldom •
10 principal •

1 적용하다 •
2 가끔 •
3 (가스)레인지 •
4 불리한 점 •
5 토대 •
6 배달하다 •
7 탑승한 •
8 실용적인 •
9 배우자 •
10 ~하지 않으면 •

C 다음 밑줄 친 단어와 같은 의미의 단어를 고르세요.

1 I occasionally go to the cinema with a friend.

ⓐ fluently ⓑ sometimes ⓒ unless ⓓ whether

2 His principal reason for making the journey was to visit his grandparents.

ⓐ keen ⓑ noble ⓒ main ⓓ rare

3 Sugar makes your teeth decay.

ⓐ rot ⓑ relay ⓒ soak ⓓ soar

4 Violence has become a serious problem in a lot of schools.

ⓐ static ⓑ fatal ⓒ unique ⓓ severe

B 다음 중 올바른 뜻을 고르세요

1	**apply**	□ 적응하다	□ 적용하다
2	**occasionally**	□ 가끔	□ 자주
3	**spouse**	□ 애국자	□ 배우자
4	**worship**	□ 숭배하다	□ 대접하다
5	**cottage**	□ 저택	□ (시골) 작은집
6	**deliver**	□ 배달하다	□ 전송하다
7	**stir**	□ 조절하다	□ 휘젓다
8	**stimulate**	□ 자극하다	□ 조정하다
9	**decay**	□ 망치다	□ 썩다
10	**orbit**	□ 궤도	□ 궤적

1	**치명적인**	□ fatal	□ spiritual
2	**실제적인**	□ principal	□ practical
3	**기둥**	□ pile	□ pillar
4	**극복하다**	□ overcome	□ overwhelm
5	**치솟다**	□ sore	□ soar
6	**~하지 않으면**	□ whether	□ unless
7	**탑승한**	□ abroad	□ aboard
8	**자손**	□ ascendant	□ descendant
9	**좀처럼 ~않는**	□ coarse	□ seldom
10	**~인지 아닌지**	□ weather	□ whether

D 다음 빈칸에 알맞은 단어를 고르세요.

1 The government plans to cut taxes in order to ______________ the economy.

ⓐ violate ⓑ surpass ⓒ resent ⓓ stimulate

2 We'll offer ______________ help for poor people.

ⓐ fatal ⓑ practical ⓒ obscure ⓓ seldom

3 The company's financial problems could no longer be ______________.

ⓐ overcome ⓑ guided ⓒ arrested ⓓ boasted

day
10

» 271
300

오늘 학습할 필수 단어입니다. 눈으로 스캔하며 모르거나 헷갈리는 단어에 체크하세요.

- □ **rather** ① 꽤 ② 오히려
- □ **roast** (고기를) 굽다
- □ **locate** ~의 위치를 찾아내다
- □ **cattle** 〈집합적〉 소
- □ **informal** 비공식적인
- □ **besides** ~외에(도), 또한
- □ **alter** 바꾸다, 변하다
- □ **murder** 살인
- □ **distant** 먼, 멀리 떨어진
- □ **fiction** 소설, 허구
- □ **panic** (극심한) 공포, 공황
- □ **ignore** 무시하다
- □ **fond** 좋아하는
- □ **despite** ~에도 불구하고
- □ **character** 성격, 인격
- □ **romantic** 연애의
- □ **miracle** 기적
- □ **territory** 영토, 지역
- □ **confidence** 자신감
- □ **recognize** 알아차리다

- □ **bound** ~행인, ~로 가는
- □ **genius** 천재
- □ **plain** ① 평범한 ② 분명한
- □ **destiny** 운명
- □ **sigh** 한숨, 한숨 쉬다
- □ **allergic** 알레르기가 있는
- □ **luxury** 사치, 호화로움
- □ **quarrel** (말)다툼
- □ **cancer** 암
- □ **remote** 외진, 먼

271

rather
[rǽðər]

부 ① 꽤, 어느 정도
② 오히려, 차라리

▸ It is **rather** cold outside, so you should wear a jacket.
밖이 꽤 추우니 자켓 입어야 해.

▸ The problem is not their lack of funding, but **rather** their lack of planning.
그 문제는 자금 부족이 아니라 오히려 계획 부족이다.

확장 rather than ~라기 보다는
would rather A than B B하느니 차라리 A하겠다

272

roast
[roust]

동 (고기를) 굽다

▸ The main dish was **roasted** beef, and it was served with a side dish. 주요리는 구운 쇠고기고 곁들인 요리와 함께 제공되었다.

273

locate
[lóukeit]

동 ① ~의 위치를 찾아내다
② ~에 위치시키다

▸ Police searched the river in an attempt to **locate** the missing boy. 경찰은 실종된 소년을 찾기 위한 시도로 강을 수색했다.

▸ My office is **located** near the airport.
내 사무실은 공항 근처에 있다.

형 local 지역의, 현지의

274

cattle
[kǽtl]

동 〈집합적〉 소

▸ raise **cattle** 소를 키우다

▸ **Cattle** are peacefully grazing on grass in the field.
소떼가 평화롭게 들판에서 풀을 뜯고 있다.

275

informal
[infɔ́ːrməl]

형 비공식적인
(↔formal 공식적인)

▸ Because it was an **informal** meeting, the entire staff were at ease. 비공식 회의였기 때문에, 전체 직원들은 편안하게 있었다.

접두사 in : 부정'의 의미
incapable ~할 수 없는
impossible 불가능한

276

besides
[bisáidz]

전 **~외에(도), 게다가, 또한**

▸ She can speak Chinese **besides** English.
그녀는 영어 외에 중국어도 말할 수 있다.

▸ There's no one here **besides** me.
여기 나 외에 아무도 없다.

비교 beside ~옆에

277

alter
[ɔ́:ltər]

동 **바꾸다, 변하다**

어근 **alt** : 다른

alternative 대안
alien 외계인

▸ You can **alter** your mood by listening to certain types of music.
당신은 어떤 종류의 음악을 들음으로써 당신의 기분을 바꿀 수 있다.

278

murder
[mə́:rdər]

명 **살인**

▸ The Supreme Court has not yet decided on the **murder** case. 대법원은 아직 그 살인 사건에 대해 판결을 내리지 않았다.

279

distant
[dístənt]

형 **먼, 멀리 떨어진**
(= remote)

▸ A near neighbor is better than a **distant** cousin.
가까운 이웃이 먼 사촌보다 낫다.

명 distance (떨어진) 거리

부 distantly 멀리, 떨어져서

280

fiction
[fíkʃən]

명 **소설, 허구**
(↔ nonfiction 실화, 논픽션)

▸ My favorite work of **fiction** is the Harry Porter series.
내가 가장 좋아하는 소설 작품은 해리포터 시리즈이다.

형 fictional 허구적인, 소설의

281

panic
[pǽnik]

명 (극심한) **공포, 공황**

▸ The earthquake caused a state of **panic** throughout the city. 지진이 도시 전체를 공포에 빠지게 했다.

Tip panic은 외래어 **'패닉'**으로도 잘 쓰임

282

ignore
[ignɔ́:r]

동 **무시하다**(= disregard)

▸ I greeted him warmly but he just **ignored** me. 나는 그에게 따뜻하게 인사했지만 그는 그냥 나를 무시했다.

명 ignorance 무시, 무지

형 ignorant 무지한, 무식한

283

fond
[fand]

형 **좋아하는**

▸ I'm **fond** of eating fresh fruits in season to maintain my health. 나는 건강 유지를 위해 신선한 제철 과일을 먹는 것을 좋아한다.

명 fondness 좋아함

Tip be fond of '~을 좋아하다'로 쓰임에 유의!

비교 find 발견하다
fund 자금
pond 연못

284

despite
[dispáit]

전 **~에도 불구하고**
(= in spite of)

▸ He still keeps his chin up **despite** all his health problems. 그는 모든 건강 문제들에도 불구하고 용기를 잃지 않고 있다.

285

character
[kǽriktər]

명 ① **등장 인물**
② **성격, 인격**

▸ I like the main **character** in the animation. 나는 그 애니매이션의 주인공을 좋아한다.

▸ The professor is a person of good **character**. 그 교수는 훌륭한 인격자다.

명 characteristic 특징

286

romantic
[roumǽntik]
형 **연애의**

▸ The **romantic** drama was all about a man and woman who fell in love.
이 로맨틱 드라마는 사랑에 빠진 남녀에 관한 모든 것을 담고 있다.

명 romance 연애, 로맨스

287

miracle
[mírəkl]
명 **기적**

▸ It was a **miracle** that the soccer player recovered from a serious injury.
그 축구선수가 심각한 부상에서 회복된 것은 기적이었다.

형 miraculous 기적적인

288

territory
[térətɔ̀:ri]
명 **영토, 지역**

▸ For a long time the two nations battled over the **territory**.
오랫동안 두 나라는 그 영토를 놓고 싸웠다.

형 territorial 영토의

289

confidence
[kάnfədəns]
명 **자신감**

▸ The girl's lack of **confidence** caused her to fail in the audition. 그녀는 자신감이 부족해서 오디션에서 떨어졌다.

형 confident 자신 있는

동 confide 신뢰하다

어근 fid : 믿음

fidelity 충성, 절개
fiance 약혼남

290

recognize
[rékəgnàiz]
동 **알아차리다**
(= notice)

▸ I **recognized** her voice instantly in the distance.
나는 멀리서 그녀의 목소리를 즉시 알아차렸다.

명 recognition 인식

291

bound
[baund]
형 ① ~행인, ~로 가는
② ~해야만 하는

▶ He got on a plane **bound** for New York.
그는 뉴욕행 비행기에 탑승했다.

292

genius
[dʒíːnjəs]
명 **천재**(= prodigy)

▶ The **genius** artist started to go blind in his forties.
그 천재 예술가는 40대에 눈이 멀기 시작했다.

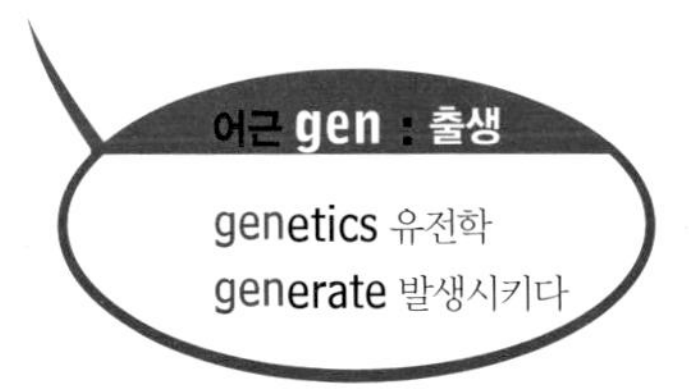

293

plain
[plein]
형 ① **평범한**
② **분명한**(= clear, evident, obvious)

▶ She was wearing **plain** white dress.
그녀는 평범한 흰색 원피스를 입고 있었다.

▶ The evidence makes it **plain** that he is guilt.
그 증거는 그가 유죄라는 사실을 명백하게 해준다.

294

destiny
[déstəni]
명 **운명**(= fate)

▶ I think there is a **destiny** that leads our lives.
나는 우리의 삶을 이끄는 운명이 있다고 생각한다.

295

sigh
[sai]
명 **한숨**
동 **한숨 쉬다**

▶ She gave a long **sigh**. 그녀는 긴 한숨을 쉬었다.

▶ She **sighed** with relief when she saw that she passed the exam. 그녀는 시험에 합격한 것을 보고 안도의 한숨을 쉬었다.

296

allergic
[ələ́ːrdʒik]

형 알레르기가 있는

▸ Cats make me sneeze - I think I'm **allergic** to the fur.
난 고양이가 있으면 재채기를 해. 나 알레르기가 있는 것 같아.

명 allergy 알레르기

접미사 -ic : 형용사접미사
economic 경제의
scientific 과학의

297

luxury
[lʌ́kʃəri]

명 사치, 호화로움

▸ Living a life of **luxury**, the queen had people to wait on her.
사치스럽게 살면서 그 여왕은 사람들로 하여금 그녀의 시중을 들게 했다.

형 luxurious 호화로운

298

quarrel
[kwɔ́ːrəl]

명 (말) 다툼
동 다투다

▸ The couple always had a **quarrel** about money.
그 부부는 늘 돈에 대해서 싸웠다.

▸ She and her husband always **quarrel** about money.
그녀와 그녀의 남편은 늘 돈에 대해 싸운다.

299

cancer
[kǽnsər]

명 암

▸ Smoking is the main cause of lung **cancer**.
흡연은 폐암의 주요 원인이다.

300

remote
[rimóut]

형 외진, 먼

▸ Because it is such a **remote** area, there are no electricity in the area. 너무 외진 곳이라 그 지역에는 전기가 들어오지 않는다.

참고 우리가 흔히 말하는 '리모콘'은 'remote control 원격 조종'의 잘못된 표현

DAY 10 - TEST

A 다음 단어들을 영어는 한글로 한글은 영어로 쓰세요.

1	roast	1	오히려
2	locate	2	(집합적) 소
3	besides	3	살인
4	alter	4	먼
5	fiction	5	~에도 불구하고
6	panic	6	무시하다
7	fond	7	기적
8	recognize	8	자신감
9	bound	9	천재
10	luxury	10	말다툼

C 다음 밑줄 친 단어와 같은 의미의 단어를 고르세요.

1 Alcohol can alter a person's mood.

ⓐ mix ⓑ cite ⓒ change ⓓ boost

2 In the distant past, dinosaurs roamed the earth.

ⓐ remote ⓑ crude ⓒ definite ⓓ extinct

3 The destiny of our nation depends on this vote!

ⓐ fare ⓑ diversity ⓒ fate ⓓ destination

4 How can the government ignore the wishes of the majority?

ⓐ glow ⓑ disregard ⓒ emit ⓓ flourish

B 다음 중 올바른 뜻을 고르세요.

1	**rather**	□ 종종	□ 오히려
2	**alter**	□ 바꾸다	□ 반복되다
3	**miracle**	□ 현상	□ 기적
4	**confidence**	□ 자신감	□ 자부심
5	**distant**	□ 먼	□ 넓은
6	**quarrel**	□ 말다툼	□ 충돌
7	**luxury**	□ 검소	□ 사치
8	**romantic**	□ 연애의	□ 연속의
9	**despite**	□ ~에도 불구하고	□ ~ 때문에
10	**panic**	□ 소풍	□ 공포

1	**비공식적인**	□ formal	□ informal
2	**~외에도**	□ beside	□ besides
3	**분명한**	□ flat	□ plain
4	**운명**	□ destiny	□ destination
5	**허구**	□ fiction	□ nonfiction
6	**좋아하는**	□ bond	□ fond
7	**~행인**	□ bound	□ found
8	**한숨**	□ sign	□ sigh
9	**암**	□ cancel	□ cancer
10	**먼, 외진**	□ remote	□ removed

D 다음 빈칸에 알맞은 단어를 고르세요.

1 ____________ our best efforts to save him, the patient died during the night.

ⓐ Then ⓑ Despite ⓒ While ⓓ However

2 The World Health Organization has ________ alcoholism as a disease since 1951.

ⓐ infected ⓑ magnified ⓒ recognized ⓓ revealed

3 They started as ________________ gatherings but they have become increasingly formalized in the last few years.

ⓐ ignorant ⓑ convenient ⓒ outdated ⓓ informal

day 11

» 301
330

오늘 학습할 필수 단어입니다. 눈으로 스캔하며 모르거나 헷갈리는 단어에 체크하세요.

- □ **float** (물에) 뜨다
- □ **leisure** 여가, 레저
- □ **frequent** 잦은, 빈번한
- □ **hammer** 망치로 치다
- □ **monumental** 기념비적인
- □ **reservation** 예약
- □ **land** 착륙하다
- □ **route** 길, 경로
- □ **journey** (긴) 여행
- □ **tropical** 열대의
- □ **sprain** (손목 · 발목을) 삐다
- □ **sensitive** 민감한
- □ **paralyze** 마비시키다
- □ **victim** 희생자, 피해자
- □ **function** 기능
- □ **passionate** 열정적인
- □ **flame** 불길, 불꽃
- □ **forecast** 예측, 예보
- □ **otherwise** 그렇지 않으면
- □ **marvel** (감탄하며) 놀라다

- □ **channel** 경로, 채널
- □ **heritage** 유산
- □ **effort** 노력
- □ **overlook** ①내려다보다 ② 용서하다, 간과하다
- □ **wander** 거닐다, 돌아다니다
- □ **extend** 연장하다
- □ **campaign** 캠페인, 운동
- □ **relay** (소식을) 전달하다
- □ **species** (생물의) 종
- □ **abstract** 추상적인

301

float
[flout]
동 (물에) **뜨다**

▸ I can **float** on my back for a long time.
나는 오랫동안 누워서 물에 떠있을 수 있다.

302

leisure
[líːʒər]
명 **여가, 레저**

▸ In his **leisure**, he paints, listen to music, and read a book.
여가 시간에 그는 그림을 그리고 음악을 듣고 책을 읽는다.

Tip leisure는 발음에 주의할 것 : [레저](X) → [리-절](O)

303

frequent
[fríːkwənt]
형 **잦은, 빈번한**
(↔ rare 드문, 희귀한)

▸ His headaches are becoming more **frequent**.
그의 두통이 점점 더 잦아지고 있다.

명 frequency 빈도

304

hammer
[hǽmər]
동 **망치로 치다**

▸ The carpenter **hammered** a nail into the wall.
목수가 벽에 못을 박았다.

305

monumental
[mὰnjuméntl]
형 **기념비적인, 엄청난**
(= excellent, outstanding, remarkable)

▸ The baseball player has enjoyed **monumental** success this year.
야구선수는 올해 엄청난 성공을 거두었다.

명 monument 기념비

접미사 -al : 형용사접미사
natural 자연의, 타고난
parental 부모의

306

reservation

[rèzərvéiʃən]

명 **예약**(= booking)

▶ I made a dinner **reservation** at the restaurant for 7 o'clock.
나는 7시에 그 레스토랑 저녁 식사를 예약했다.

동 reserve 예약하다

307

land

[lænd]

동 **착륙하다**

▶ The spaceship successfully **landed** on Mars in 2004.
그 우주선은 2004년 성공적으로 화성에 착륙했다.

Tip take off '(비행기가) 이륙하다'도 함께 알아두자!

308

route

[ru:t]

명 **길, 경로**

▶ Many European explorers were trying to find another **route** to Asia.
많은 유럽 탐험가들은 아시아로 가는 다른 길을 찾으려고 노력하고 있었다.

비교 routine 규칙적으로 하는 일, 루틴

309

journey

[dʒə́:rni]

명 (긴) **여행**

▶ We are going on a **journey** to China and India.
우리는 중국과 인도로 여행을 갈 것이다.

비교 travel (일반적) 여행
trip (짧은) 여행
voyage 항해

310

tropical

[trάpikəl]

형 **열대의**

▶ Jamie had never been to a **tropical** climate before.
제이미는 전에 열대 기후에 가본 적이 없었다.

311

sprain

[sprein]

동 (손목 · 발목을) **삐다**

▸ My husband **sprained** his wrist playing tennis yesterday.
우리 남편이 어제 테니스 치다가 손목을 삐었어.

312

sensitive

[sénsətiv]

형 **민감한**

▸ The **sensitive** child demanded much attention from her parents.
그 예민한 아이는 부모에게 많은 관심을 요구했다.

동 명 sense 느끼다; 감각; 분별력

어근 sens : 느끼다

assent 동의하다
consent 승낙하다

313

paralyze

[pǽrəlàiz]

동 **마비시키다**

▸ His lower body was **paralyzed** by a motorcycle accident.
그는 오토바이 사고로 인해 하반신이 마비되었다.

명 paralysis 마비

314

victim

[víktim]

명 **희생자, 피해자**

▸ **Victims** of the accident were taken to local hospitals.
사고 피해자들은 근처 병원으로 이송되었다.

동 victimize 희생시키다

315

function

[fʌ́ŋkʃən]

명 **기능**

▸ The **function** of the heart is to pump blood through the body.
심장의 기능은 혈액을 몸 전체로 뿜어내는 것이다.

316

passionate
[pǽʃənət]
형 열정적인

▸ He gave a **passionate** speech on real freedom.
그는 진정한 자유에 대한 열정적인 연설을 했다.

명 passion 열정

어근 pass : (고통)을 느끼다
patient 환자
sympathy 공감, 동정

317

flame
[fleim]
명 불길, 불꽃

▸ We tried to put out the fire, but the **flames** grew stronger.
우리는 불을 끄려고 했지만 불길이 더 거세졌다.

318

forecast
[fɔ́:rkæ̀st]
명 예측, 예보

▸ The weather **forecast** said it would be rainy all day.
일기예보에서 하루 종일 비가 올 것이라고 했다.

319

otherwise
[ʌ́ðərwàiz]
부 그렇지 않으면

▸ Put the cake away **otherwise** I may eat it all.
케이크 치워놔. 그렇지 않으면 내가 다 먹어버릴지도 몰라.

320

marvel
[ma:rvəl]
동 (감탄하며) 놀라다

▸ The audience **marveled** at the magician's skill.
관객은 그 마술사의 기술에 놀랐다.

형 marvellous 감탄할만한 = amazing

321

channel
[tʃǽnl]

명 **경로, 채널**

▸ The country is working through diplomatic **channels** to find a solution.

그 나라는 해결책을 찾기 위해 외교 경로들을 통해 노력하고 있다.

Tip channel의 원래 뜻은 도시와 도시를 연결해주는 '수로'임을 알아두자!

322

heritage
[héritidʒ]

명 **유산**

▸ Native Americans are trying to preserve their tribal **heritage**.

아메리카 원주민들은 그들 부족의 유산을 보존하기 위해 노력하고 있다.

어근 herit : 상속

heir 상속인

inherit 물려받다

323

effort
[éfərt]

명 **노력**

▸ I have made a lot of **effort** to pass the exam.

나는 시험에 합격하기 위해 많은 노력을 해왔다.

324

overlook
[òuvərlúk]

동 ① (경치를) **내려다보다**

② **용서하다, 간과하다**

▸ The house is built on the side of a hill **overlooking** the river.

그 집은 강을 내려다보는 언덕 비탈에 지어져 있다.

325

wander
[wándər]

동 (천천히) **거닐다, 돌아다니다**

▸ I love to **wander** through the library.

나는 도서관 여기저기 돌아다니는 것을 좋아한다.

비교 wonder 궁금해하다

326

extend
[iksténd]
동 **연장하다**

어근 **tend : 뻗다**
intent ~할 의도이다
tend ~하는 경향이 있다

▸ We required the professor to **extend** the deadline for the essay.
우리는 교수님께 과제물 마감 일자를 연장해달라고 요청했다.

명 extension 확대, 연장
형 extensive 광범위한

327

campaign
[kæmpéin]
명 **캠페인, 운동**
동 **캠페인[운동]을 벌이다**

▸ an election **campaign** 선거 운동

▸ We'll **campaign** for protecting wild animals in the forest.
우리는 숲 속의 야생 동물들을 보호하기 위한 캠페인을 벌일 것이다.

328

relay
[rí:lei]
동 (소식을) **전달하다**

▸ Please **relay** the news to the rest of the team.
나머지 팀원들에게 그 소식을 전해 주세요.

Tip relay는 명사로 '계주, 릴레이 경주'

329

species
[spí:ʃi:z]
명 (생물의) **종**

▸ an endangered **species** 멸종 위기종

▸ Many **species** are in danger of disappearing from the earth.
많은 종들이 지구에서 사라질 위험에 처해있다.

Tip species는 단 · 복수의 형태가 동일하다는 것을 알아두자!

330

abstract
[æbstrækt]
형 **추상적인**
(↔concrete 구체적인)

▸ It is difficult to describe **abstract** concepts such as love and hatred.
사랑과 미움과 같은 추상적인 개념을 묘사하는 것은 어렵다.

명 abstraction 추상적 개념

DAY 11 - TEST

A 다음 단어들을 영어는 한글로 한글은 영어로 쓰세요.

1	float	1	여가, 레저
2	frequent	2	기념비적인
3	route	3	예약
4	journey	4	착륙하다
5	tropical	5	민감한
6	paralyze	6	열정적인
7	victim	7	불길, 불꽃
8	marvel	8	유산
9	wander	9	노력
10	species	10	추상적인

C 다음 밑줄 친 단어와 같은 의미의 단어를 고르세요.

1 The leader gave a passionate speech on freedom and independence.

ⓐ enthusiastic ⓑ intensive ⓒ potential ⓓ overwhelming

2 In their efforts to reduce crime the government expanded the police force.

ⓐ phases ⓑ principles ⓒ endeavors ⓓ scripts

3 The company has gained monumental success this year.

ⓐ decent ⓑ great ⓒ secure ⓓ genetic

4 They consider the building to be an important part of region's heritage.

ⓐ dignity ⓑ devotion ⓒ favor ⓓ inheritance

B 다음 중 올바른 뜻을 고르세요.

1	**frequent**	□ 빈번한	□ 드문
2	**reservation**	□ 예약	□ 여행
3	**forecast**	□ 예정	□ 예보
4	**passionate**	□ 열정적인	□ 세련된
5	**marvel**	□ 대리석	□ 놀라다
6	**victim**	□ 가해자	□ 피해자
7	**function**	□ 기능	□ 성능
8	**heritage**	□ 유언	□ 유산
9	**extend**	□ 연장하다	□ 축소하다
10	**species**	□ (생물의) 종	□ (물건의) 종류

1	(물에) **뜨다**	□ flow	□ float
2	**기념비적인**	□ monumental	□ momentous
3	**긴 여행**	□ journal	□ journey
4	(손목을) **삐다**	□ sprain	□ sprout
5	**그렇지 않으면**	□ otherwise	□ likewise
6	**마비시키다**	□ analyze	□ paralyze
7	**불길, 불꽃**	□ blame	□ flame
8	**노력**	□ effort	□ comfort
9	(소식을) **전달하다**	□ rely	□ relay
10	**추상적인**	□ abstract	□ contract

D 다음 빈칸에 알맞은 단어를 고르세요.

1 The weather ______________ said it was going to rain later today.

ⓐ attempt ⓑ forecast ⓒ presence ⓓ function

2 The children are the innocent ______________ of the fighting.

ⓐ agents ⓑ athletes ⓒ victims ⓓ components

3 The city was ______________ by a heavy snowstorm.

ⓐ dismissed ⓑ expressed ⓒ inspired ⓓ paralyzed

day 12

» 331
360

오늘 학습할 필수 단어입니다. 눈으로 스캔하며 모르거나 헷갈리는 단어에 체크하세요.

- □ **lunar** 달의
- □ **spacious** 넓은, 널찍한
- □ **entertain** 즐겁게 하다
- □ **command** 명령, 명령하다
- □ **measure** ① 조치 ②치수
- □ **dusk** 황혼, 해질녘
- □ **slave** 노예
- □ **division** 분열
- □ **patience** 인내
- □ **fabulous** 굉장한, 아주 멋진
- □ **patriotism** 애국심
- □ **oppose** 반대하다
- □ **span** 기간
- □ **chemical** 화학의, 화학 물질
- □ **nuclear** 핵의, 원자력의
- □ **molecule** 분자
- □ **capable** ~을 할 수 있는
- □ **terrify** 무섭게 하다
- □ **artificial** ① 인공의 ② 거짓된
- □ **savage** 사나운, 야만적인

- □ **splash** (물을) 튀기다
- □ **stable** 안정된
- □ **pasture** 초원, 목초지
- □ **fundamental** 근본적인
- □ **graze** 풀을 뜯다
- □ **require** 요구하다, 필요로 하다
- □ **prey** 먹이, 사냥감
- □ **flock** (양 · 새 등의) 떼, 무리
- □ **boring** 지루한, 따분한
- □ **swarm** (곤충의) 떼, 무리

331

lunar

[lúːnər]

형 **달의**

▸ Armstrong became the first person to step onto the **lunar** surface.
암스트롱은 달 표면에 발을 디딘 최초의 사람이 되었다.

비교 solar 태양의 stellar 별의

332

spacious

[spéiʃəs]

형 **넓은, 널찍한**
(= broad, roomy, capacious)

▸ Because the church isn't **spacious**, it won't hold three hundred wedding guests.
교회가 넓지 않기 때문에 3백 명의 결혼식 하객을 수용하지 못할 것이다.

접미사 -ous : 형용사 접미사
precious 소중한
dangerous 위험한

333

entertain

[èntərtéin]

동 **① 즐겁게 하다**
② 대접[접대]하다

▸ He likes to **entertain** his children with stories, toys, and songs.
그는 이야기, 장난감, 노래로 아이들을 즐겁게 하는 것을 좋아한다.

▸ He used to **entertain** his friends at his summer home.
그는 여름 별장에서 친구들을 대접하곤 했다.

명 entertainment 오락; 접대

334

command

[kəmǽnd]

명 **명령, 지휘**
동 **명령하다**

▸ The soldiers are under the **command** of the general.
그 군인들은 그 장군의 지휘 하에 있다.

▸ The police officer **commanded** the robber to stop.
경찰관이 강도에게 멈추라고 명령했다.

명 commander 지휘관, 사령관

335

measure

[méʒər]

명 **① 조치, 대책 ② 치수**
동 **측정하다**

▸ The government has to take **measures** to protect the environment. 정부는 환경을 보호하기 위한 조치를 취해야 한다.

명 measurement 측정

336

dusk
[dʌsk]
명 **황혼, 해질녘**

▸ The slaves worked from dawn to **dusk** on farm land.
그 노예들은 농지에서 새벽부터 해질 때까지 일했다.

337

slave
[sleiv]
명 **노예**

▸ Each **slave** was responsible for a particular task in the castle. 각각의 노예는 성 내에서 특정한 일을 책임졌다.

명 slavery 노예제도

338

division
[divíʒən]
명 **분열**

▸ We learned the process of cell **division** in biology class.
우리는 생물 수업에서 세포 분열 과정을 배웠다.

동 divide 나누다, 분할하다

339

patience
[péiʃəns]
명 **인내**

▸ Her **patience** was running thin as she was waiting for a long time.
오랫동안 기다리면서 그녀의 인내심이 바닥나고 있었다.

명 형 patient 환자; 참을성 있는

340

fabulous
[fǽbjuləs]
형 **굉장한, 아주 멋진**

어근 fa : 말
fame 명성
confess 자백하다

▸ The room has **fabulous** views of the sea.
그 방에서 보는 바다 경관이 아주 멋지다.

부 fabulously 엄청나게, 굉장히

341

patriotism
[péitriətìzm]
명 **애국심**

▸ **Patriotism** is a common theme in true war movies.
애국심은 실제 전쟁 영화에서 흔한 주제이다.

명 patriot 애국자

접미사 -ism : '주의, 사상'의 명사 접미어
capitalism 자본주의
socialism 사회주의

342

oppose
[əpóuz]
동 **반대하다**(= object to)

▸ The zoologist strongly **opposes** cruelty to animals of any sort. 그 동물학자는 어떤 종류의 동물 학대에도 강하게 반대한다.

형 명 opposite 반대의; 반대

343

span
[spæn]
명 **기간**

▸ The average life **span** of turtles is about 200 years.
거북이의 평균 수명은 약 200년이다.

344

chemical
[kémikəl]
형 **화학의, 화학적인**
명 **화학 물질**

▸ The **chemical** industry is one of the most important industrial sectors.
화학 산업은 가장 중요한 산업 분야들 중 하나다.

▸ Each **chemical** must be used with caution.
각각의 화학 물질은 주의하여 사용되어야 한다.

명 chemist 화학자

345

nuclear
[njú:kliər]
형 **핵의, 원자력의**
(= atomic)

▸ The United States dropped a **nuclear** bomb on Hiroshima, Japan.
미국이 일본의 히로시마에 원자 폭탄을 떨어뜨렸다.

346

molecule
[máləkjù:l]
명 분자

▸ When two atoms join together, a small **molecule** is created.
두 원자가 결합하면 작은 분자가 만들어진다.

347

capable
[kéipəbl]
형 ~을 할 수 있는

▸ The young single mom was not **capable** of raising her child by herself. 젊은 미혼모는 혼자서 그 아이를 키울 수 없었다.

명 capability 능력

348

terrify
[térəfài]
동 무섭게 하다

▸ Thoughts of zombies **terrify** me and cause me to lose sleep at night.
난 좀비 생각을 하면 무서워서 밤에 잠을 못 잔다.

형 terrible 끔찍한

349

artificial
[à:rtifíʃəl]
형 ① 인공의
② 거짓된, 꾸민

어근 art : 기술, 솜씨
artist 예술가
artifact 인공품

▸ My mother banned anything with **artificial** flavors.
우리 어머니는 인공적인 맛이 나는 것은 무엇이든 금지하셨다.

▸ His interest in politics seemed a bit **artificial**.
정치에 대한 그의 관심은 약간 거짓된 것이있다.

350

savage
[sǽvidʒ]
형 사나운, 야만적인

▸ One of the climbers was attacked by a **savage** beast.
등산객 중 한 명이 사나운 짐승에게 공격을 당했다.

351

splash

[splæʃ]

동 (물을) **튀기다**

▸ The children were **splashing** about in the pool.
아이들이 풀장에서 물장구치며 놀고 있었다.

352

stable

[stéibl]

형 **안정된**(= secure)

▸ After several part-time jobs, she's now got a **stable** job in a company.
몇 개의 아르바이트를 한 후, 그는 이제 회사에서 안정된 직장을 얻었다.

353

pasture

[pǽstʃər]

명 **초원, 목초지**

▸ A flock of sheep are grazing in the **pasture**.
양떼가 초원에서 풀을 뜯고 있다.

354

fundamental

[fʌndəméntl]

형 **근본적인, 기본적인**
(= basic, essential)

▸ Dribbling is a **fundamental** part of basketball.
드리블은 농구에서 기본적인 부분이다.

355

graze

[greiz]

동 **풀을 뜯다**

▸ Cows in the pasture are **grazing** peacefully over the grass.
목장의 소들이 잔디 위에서 평화롭게 풀을 뜯고 있다.

356

require
[rikwáiər]
동 **요구하다, 필요로 하다**

▸ The law **requires** all citizens to pay the tax.
법은 모든 시민들이 세금을 내도록 요구한다.

명 requirement 필요조건, 요건

비교 acquire 습득하다
inquire 습질문하다
request (사람이) 요청하다

357

prey
[prei]
명 **먹이, 사냥감**

▸ Animals in the zoo have lost the capability to catch **prey** for themselves.
동물원에 있는 동물들은 스스로 먹이를 사냥하는 능력을 잃었다.

358

flock
[flak]
명 (양 · 새 등의) **떼, 무리**

▸ The **flock** of birds immediately dispersed in every direction.
그 새 떼가 즉시 사방으로 흩어졌다.

359

boring
[bɔ́:riŋ]
형 **지루한, 따분한**(= dull)

▸ He is the most **boring** person I've ever met.
그는 이제껏 내가 만난 사람 중 가장 지루한 사람이다.

360

swarm
[swɔ:rm]
명 (곤충의) **떼, 무리**

▸ A **swarm** of bees suddenly flew into the garden.
벌 떼가 갑자기 정원 안으로 날아들었다.

DAY 12 - TEST

A 다음 단어들을 영어는 한글로 한글은 영어로 쓰세요.

1	lunar	1	즐겁게 하다
2	spacious	2	조치, 대책
3	command	3	인내
4	slave	4	애국심
5	relative	5	화학의
6	oppose	6	(물을) 튀기다
7	molecule	7	초원, 목초지
8	savage	8	근본적인
9	stable	9	먹이, 사냥감
10	require	10	지루한

C 다음 밑줄 친 단어와 같은 의미의 단어를 고르세요.

1 You have to have such a lot of <u>patience</u> when you're dealing with kids.
ⓐ inspection ⓑ organization ⓒ reputation ⓓ endurance

2 If the church isn't <u>spacious</u>, it won't hold three hundred wedding guests.
ⓐ stable ⓑ capacious ⓒ numerous ⓓ narrow

3 It's <u>boring</u> to sit on the plane with nothing to read.
ⓐ dull ⓑ sincere ⓒ lunar ⓓ nuclear

4 They've got a <u>fabulous</u> apartment in the center of Paris.
ⓐ immense ⓑ marvellous ⓒ productive ⓓ tidy

B 다음 중 올바른 뜻을 고르세요.

1	**lunar**	□ 별의	□ 달의
2	**spacious**	□ 우주의	□ 넓은
3	**dusk**	□ 새벽녘	□ 해질녘
4	**division**	□ 분열	□ 준비
5	**artificial**	□ 인공의	□ 천연의
6	**terrify**	□ 무섭게 하다	□ 즐겁게 하다
7	**oppose**	□ 반응하다	□ 반대하다
8	**fundamental**	□ 근본적인	□ 재정의
9	**prey**	□ 먹이	□ 쟁반
10	**swarm**	□ (곤충의) 떼	□ (사람의) 무리

1	**인내**	□ patience	□ patriotism
2	**기간**	□ spin	□ span
3	**분자**	□ atom	□ molecule
4	**화학의**	□ physical	□ chemical
5	**~할 수 있는**	□ capable	□ available
6	**야만적인**	□ savage	□ separate
7	**안정된**	□ stable	□ static
8	**목초지**	□ ecology	□ pasture
9	**요구하다**	□ acquire	□ require
10	**떼, 무리**	□ flock	□ fluency

D 다음 빈칸에 알맞은 단어를 고르세요.

1 The law ______________ everyone to wear a seat belt.

ⓐ confuses ⓑ overtakes ⓒ qualifies ⓓ requires

2 During the ______________ tornado, we sought shelter in the basement.

ⓐ savage ⓑ radical ⓒ rigid ⓓ alien

3 The government will have to take ______________ to reduce air pollution.

ⓐ accounts ⓑ needs ⓒ measures ⓓ appliances

day
13

» 361
390

오늘 학습할 필수 단어입니다. 눈으로 스캔하며 모르거나 헷갈리는 단어에 체크하세요.

- □ **cycle** 순환, 주기
- □ **average** 평균의, 보통의
- □ **aggressive** 공격적인
- □ **count** 세다, 계산하다
- □ **flap** (날개를) 펄럭거리다
- □ **consist** 구성되다
- □ **itchy** 가려운
- □ **vet** 수의사
- □ **concentrate** 집중하다
- □ **ripe** 익은
- □ **mature** 성숙한
- □ **peel** (손으로) 껍질을 벗기다
- □ **nutrition** 영양(분)
- □ **sound** ~처럼 들리다
- □ **vast** 엄청난, 어마어마한
- □ **disease** 병, 질병
- □ **grocery** 식료품(점)
- □ **decline** 줄어들다, 하락
- □ **emphasize** 강조하다
- □ **iron** 철, 다림질하다

- □ **tender** 다정한, 부드러운
- □ **crack** 깨다, 갈라지다, (갈라진) 금
- □ **juvenile** 청소년의
- □ **chop** 잘게 썰다
- □ **mince** 잘게 썰다, 다지다
- □ **scatter** (흩)뿌리다
- □ **progress** 전진, 진보
- □ **flavor** (독특한) 맛
- □ **pile** 더미
- □ **nap** 낮잠

361

cycle
[sáikl]
명 **순환, 주기**

▸ The butterfly's life **cycle** consists of four stages.
나비의 삶의 주기는 네 단계로 구성된다.

362

average
[ǽvəridʒ]
형 **평균의, 보통의**

▸ The **average** age of the design company's employees is 32. 그 디자인 회사의 직원들의 평균 나이는 32살이다.

363

aggressive
[əgrésiv]
형 ① **공격적인**
② **적극적인**

▸ Beware of the **aggressive** dog.
그 공격적인 개를 조심하시오.

▸ He is an overly **aggressive** salesman.
그는 아주 적극적인 세일즈맨이다.

명 aggression 공격

어근 **gress** : 가다
congress 의회
progress 전진하다

364

count
[kaunt]
동 ① **세다, 계산하다**
② **중요하다**

▸ Kids use their fingers when they **count** numbers.
아이들은 숫자를 셀 때 손가락을 사용한다.

▸ Money **counts** in our lives.
우리 삶에서 돈은 중요하다.

365

flap
[flæp]
동 (날개를) **펄럭거리다, 퍼덕이다**

▸ I filmed birds **flapping** their wings.
나는 날개를 퍼덕거리고 있는 새들을 촬영했다.

▸ The flags were **flapping** in the breeze.
깃발들이 미풍에 펄럭이고 있었다.

366

consist
[kənsíst]
동 **구성되다**
(= be made up of)

▸ Her breakfast **consisted** of cereal, bread, and milk.
그녀의 아침 식사는 시리얼, 빵, 우유로 이루어졌다.

접두사 con- : 함께
compose 구성하다
cooperate 협동하다

367

itchy
[ítʃi]
형 **가려운**

▸ I was bitten by a mosquito so now I'm **itchy**.
나 모기에 물려서 가려워.

명 itchy 가려움, 근질거림

368

vet
[vet]
명 **수의사**(= veterinarian)

▸ I need to take my dog to the **vet**.
내 개를 수의사에게 데려가야 해요.

비교 bet (내기에) 돈을 걸다

369

concentrate
[kάnsəntrèit]
동 **집중하다[시키다]**
(= focus)

▸ You have to find a way to **concentrate** on your study.
너는 너의 공부에 집중할 수 있는 방법을 찾아야 해.

명 concentration 집중

370

ripe
[raip]
형 **익은**

▸ Because the green bananas aren't **ripe**, we will need to wait.
초록색 바나나가 익지 않았기 때문에, 우리는 기다려야 할 것이다.

동 ripen 익다, 익히다

371

mature

[mətjúər]

형 **성숙한**

(↔ immature 미숙한)

▸ The fifteen-year-old girl wore make-up to look **mature**.

그 15세의 소녀는 성숙해 보이기 위해 화장을 했다.

명 maturity 성숙함

372

peel

[pi:l]

동 (손으로) **껍질을 벗기다**

▸ It's not difficult to **peel** a tangerine.

귤 껍질을 벗기는 것은 어렵지 않다.

참고 pare (칼로) 껍질을 벗기다

373

nutrition

[nju:tríʃən]

명 **영양(분)**

▸ A bunch of grapes will provide sufficient **nutrition** for you.

한 송이의 포도가 당신에게 충분한 영양을 공급해줄 것입니다.

형 nutritious 영양가가 높은

명 nutritionist 영양사

374

sound

[saund]

동 **~처럼 들리다**

(= seem)

▸ The idea of going to the movies with you **sounds** great to me.

당신과 함께 영화를 보러 간다는 생각은 내게 아주 좋게 들린다.

375

vast

[væst]

형 **엄청난, 어마어마한**

(= huge, immense)

▸ The professor has a **vast** amount of knowledge on artificial intelligence.

그 교수는 인공지능에 대해 엄청난 양의 지식을 갖고 있다.

376

disease

[dizí:z]

명 병, 질병
(= illness, sickness)

▸ We should know obesity is a major factor in heart **disease**.
우리는 비만이 심장병의 주요 요인이라는 것을 알아야 한다.

377

grocery

[gróusəri]

명 식료품(점)

▸ My mother buys fresh fruits and vegetables at the **grocery** store.
우리 엄마는 그 식료품 가게에서 신선한 과일과 야채를 산다.

378

decline

[dikláin]

동 줄어들다, 감소하다
(= decrease, diminish)

명 감소, 하락

▸ The population continues to **decline** as people move over the border.
국경을 넘어 이주하기 때문에 인구가 계속 감소하고 있다.

▸ Sales of the product are on the **decline**.
그 제품의 판매가 감소하고 있다.

어근 clin : 기울다
clinic 클리닉, 진료소
inclination 성향, 경향

379

emphasize

[émfəsàiz]

동 강조하다

▸ My father always **emphasized** the importance of honesty.
아버지는 늘 정직의 중요성을 강조하셨다.

명 emphasis 강조

380

iron

[áiərn]

명 철, 쇠

동 다림질하다

▸ The chains are made of **iron**.
사슬은 쇠로 만들어진다.

▸ My lovely wife always **irons** my shirts and pants.
내 사랑스러운 아내는 항상 내 셔츠와 바지를 다림질 해준다.

381

tender
[téndər]
형 **다정한, 부드러운**

▸ The mother gave her newborn a **tender** look.
그 산모는 새로 태어난 아기를 부드러운 눈길로 바라봤다.

382

crack
[kræk]
동 **깨다, 갈라지다**
명 (갈라진) **금**

▸ She **cracked** a couple of eggs into a pan.
그녀는 계란 두 개를 깨서 후라이팬에 넣었다.

▸ There is a **crack** in the window glass.
창문 유리에 금이 갔다.

383

juvenile
[dʒúːvənl]
형 **청소년의**
(= adolescent)

▸ He is the chairman of the company now, but as a teenager, he was a **juvenile** delinquent.
지금은 그 회사의 회장이지만 십대 때 그는 비행청소년이었다.

접미사 -ile : 형용사 접미사
facile 용이한
fertile 비옥한

384

chop
[tʃap]
동 **잘게 썰다**

▸ She **chopped** some carrots for the soup.
그녀는 스프에 넣을 당근 몇 개를 잘게 썰었다.

참고 chopstick 젓가락

385

mince
[mins]
동 **잘게 썰다, 다지다**

▸ Mix the **minced** onions with soft butter and spread over the grilled meat.
다진 양파를 부드러운 버터와 섞어 구운 고기 위에 뿌리세요.

386

scatter
[skǽtər]
동 (흩) 뿌리다

▸ She occasionally **scatters** birdseed around her to attract the pigeons.
그녀는 비둘기들을 끌어들이기 위해 가끔씩 새 모이를 그녀 주위에 뿌린다.

387

progress
[prágres]
명 전진, 진보

▸ Technological **progress** has been so rapid over the last few years.
기술적 진보가 지난 몇 년간 너무나 빨리 진행되었다.

형 progressive 진보적인

388

flavor
[fléivər]
명 (독특한) 맛 (= taste)

▸ The shop sells 31 different **flavors** of ice cream.
그 가게는 31가지 다른 맛의 아이스크림을 판다.

389

pile
[pail]
명 더미

▸ The field workers took a nap on a **pile** of hay.
밭에서 일하는 일꾼들은 건초 더미 위에서 낮잠을 잤다.

비교 file (서류 등의) 파일
heap (수북히 쌓은) 파일
stack (차곡 차곡 쌓은) 파일

390

nap
[næp]
명 낮잠

▸ I usually take a **nap** for 30 minutes after lunch.
나는 점심식사 후 보통 30분 동안 낮잠을 잔다.

DAY 13 - TEST

A 다음 단어들을 영어는 한글로 한글은 영어로 쓰세요.

1	cycle	1	평균의
2	aggressive	2	세다, 계산하다
3	flap	3	가려운
4	consist	4	익은
5	concentrate	5	성숙한
6	peel	6	영양분
7	vast	7	식료품점
8	emphasize	8	흩뿌리다
9	juvenile	9	잘게 썰다
10	progress	10	낮잠

C 다음 밑줄 친 단어와 같은 의미의 단어를 고르세요.

1 We need to <u>concentrate</u> on this problem.

ⓐ scatter ⓑ confer ⓒ focus ⓓ resist

2 The shop sells 31 different <u>flavors</u> of ice cream.

ⓐ factors ⓑ tastes ⓒ functions ⓓ piles

3 Technological <u>progress</u> has been so rapid over the last few years.

ⓐ retreat ⓑ status ⓒ source ⓓ advancement

4 The people who have taken our advice have saved themselves <u>vast</u> amounts of money.

ⓐ immense ⓑ opposite ⓒ proficient ⓓ obscure

B 다음 중 올바른 뜻을 고르세요.

1	**average**	□ 평균의	□ 합계의
2	**consist**	□ 구조하다	□ 구성하다
3	**concentrate**	□ 집중하다	□ 존경하다
4	**itchy**	□ 아픈	□ 가려운
5	**emphasize**	□ 강조하다	□ 강요하다
6	**grocery**	□ 유제품	□ 식료품점
7	**tender**	□ 부드러운	□ 거친
8	**crack**	□ 충돌하다	□ 갈라지다
9	**flavor**	□ 맛	□ 멋
10	**progress**	□ 전진	□ 후퇴

1	**퍼덕거리다**	□ flag	□ flap
2	**익은**	□ ripe	□ rare
3	**영양(분)**	□ nutrition	□ policy
4	**성숙한**	□ formal	□ mature
5	**다림질하다**	□ iron	□ metal
6	**~인 것 같다**	□ sound	□ noise
7	**(칼로) 깎다**	□ pill	□ peel
8	**감소하다**	□ decline	□ incline
9	**잘게 썰다**	□ mince	□ merge
10	**더미**	□ file	□ pile

D 다음 빈칸에 알맞은 단어를 고르세요.

1 A car ______________ of several different parts.

ⓐ competes ⓑ consists ⓒ compares ⓓ conducts

2 The publisher has been very ________________ in promoting the book.

ⓐ aggressive ⓑ average ⓒ notable ⓓ juvenile

3 The report ________________ the importance of improving safety standards.

ⓐ convenes ⓑ depicts ⓒ encourages ⓓ emphasizes

day
14

» 391
420

오늘 학습할 필수 단어입니다. 눈으로 스캔하며 모르거나 헷갈리는 단어에 체크하세요.

- □ **perceive** 인지하다, 지각하다
- □ **graduate** 졸업하다
- □ **horror** 공포, 경악
- □ **constant** 끊임없는, 계속되는
- □ **unemployment** 실업
- □ **uneasy** 불안한, 불안정한
- □ **merchant** 상인
- □ **commercial** 상업의
- □ **due** ① ~할 예정인 ② ~때문인
- □ **atmosphere** ①대기 ②분위기
- □ **performance** ① 공연 ② 성과
- □ **own** 소유하다
- □ **dispute** 분쟁, 논란
- □ **scold** 꾸짖다, 야단치다
- □ **offend** 기분 상하게 하다
- □ **infect** 감염시키다
- □ **professor** (대학) 교수
- □ **mayor** 시장
- □ **board** 위원회; 탑승하다
- □ **unnecessary** 불필요한

- □ **shy** 수줍어하는
- □ **crew** 승무원, 선원
- □ **divorce** 이혼
- □ **slight** 약간의, 조금의
- □ **assignment** 과제, 임무
- □ **cartoon** 만화
- □ **selfish** 이기적인
- □ **industrial** 산업의
- □ **odd** 이상한
- □ **discourage** 막다, 좌절시키다

391

perceive
[pərsíːv]
동 **인지하다, 지각하다**
(= notice, recognize)

▸ When you are angry or nervous, it is hard to **perceive** the situation in an objective manner.
화가 나있거나 불안할 때 객관적인 방식으로 상황을 인지하기 어렵니다.

명 perception 지각, 인식

어근 ceive : 잡다
receive 받다
perceive 지각하다, 인식하다

392

graduate
[grǽdʒueit]
동 **졸업하다**

▸ She joined the company after **graduating** from high school.
그녀는 고등학교 졸업 후 회사에 들어갔다.

명 graduation 졸업

Tip graduate은 명사로 '대학 졸업생'

393

horror
[hɔ́ːrər]
명 **공포, 경악**

▸ The crowd watched in **horror** as the building collapsed.
군중들은 건물이 무너지는 것을 공포에 질려 지켜보았다.

Tip horror movie 공포 영화

394

constant
[kánstənt]
형 **끊임없는, 계속되는**
(= continuous, endless)

▸ The United States has been a **constant** world power since World War Ⅰ.
미국은 세계 1차 대전 이후로 계속적으로 세계 강국이 되어왔다.

395

unemployment
[ʌnimplɔ́imənt]
명 **실업**

▸ I'm going to receive **unemployment** payments for the six months.
나는 6개월 동안 실업 급여를 받을 예정이다.

형 unemployed 실직한, 실업자인

396

uneasy
[ʌníːzi]

형 **불안한, 불안정한**
(= nervous, anxious)

▸ I always feel **uneasy** when I am in a dark building alone.
나는 어두운 건물에 혼자 있을 때 늘 불안감을 느낀다.

명 uneasiness 불안, 걱정

day 14

접두사 un- : '부정'의 의미
unable ~할 수 없는
unfortunate 불운한

397

merchant
[mə́ːrtʃənt]

명 **상인**

▸ The greedy **merchant** raised the price of bread and milk.
그 욕심 많은 상인은 빵과 우유 값을 올렸다.

명 merchandise 상품

398

commercial
[kəmə́ːrʃəl]

형 **상업의**

▸ The new film enjoyed a huge **commercial** success.
그 신작 영화는 엄청난 상업적 성공을 거뒀다.

명 commerce 상업

명 commercialism 상업주의

399

due
[dju]

형 **① ~할 예정인**
② ~때문인

▸ His new book is **due** to be published next month.
그의 신간은 다음 달에 출간될 예정이다.

▸ **Due** to the heavy rain, some roads were flooded.
폭우로 인해 일부 도로가 침수되었다.

400

atmosphere
[ǽtməsfìər]

명 **① 대기**
② 분위기

▸ An **atmosphere** is a set of layers of gases surrounding a planet.
대기는 행성을 둘러싸고 있는 일련의 가스층들이다.

▸ We had a pleasant conversation in a comfortable **atmosphere**.
우리는 편안한 분위기에서 유쾌한 대화를 나누었다.

401

performance

[pərfɔ́:rməns]

명 ① 공연, 연주
② 성과, 수행

▸ The young pianist gave a brilliant **performance** to the audience.
그 젊은 피아니스트가 관객에게 아주 멋진 공연을 보여줬다.

▸ A manager will evaluate each employee's **performance**.
관리자는 각 직원의 성과를 평가할 것입니다.

402

own

[oun]

동 소유하다

▸ We hope to someday **own** our own home.
우리는 언젠가 우리 자신의 집을 소유하기를 희망한다.

명 owner 주인, 소유주

Tip on one's own 혼자서

403

dispute

[dispjú:t]

명 분쟁, 논란

▸ There has been a territorial **dispute** between India and Pakistan.
인도와 파키스탄 사이에 영토 분쟁이 있어 왔다.

404

scold

[skould]

동 꾸짖다, 야단치다

▸ She **scolded** the child for making his room untidy.
그녀는 아이가 방을 어지럽혔다고 야단쳤다.

405

offend

[əfénd]

동 기분 상하게[불쾌하게] 하다(= upset, annoy)

▸ His rude remarks deeply **offended** many people.
그의 무례한 말은 많은 사람들을 몹시 불쾌하게 했다.

명 offence 위법 행위, 범죄

형 offensive 불쾌한

어근 fend : 치다

defend 방어하다
fencing 펜싱

406

infect

[infékt]

동 **감염시키다**

▸ Some students of the class are **infected** with a virus.

그 반의 몇 명의 학생들이 바이러스에 감염되었다.

명 infection 감염

형 infectious 전염성의

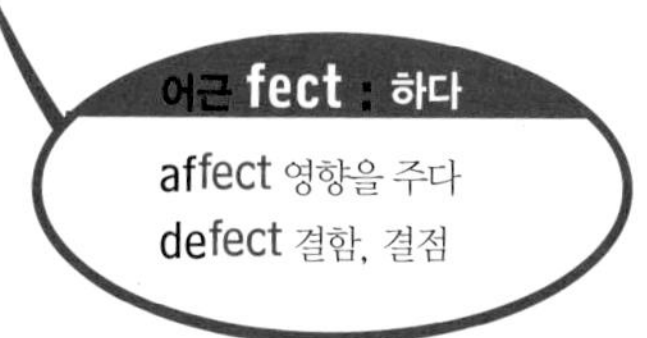

407

professor

[prəfésər]

명 (대학) **교수**

▸ I like to listen to the lecture of the history **professor**.

나는 그 역사 교수의 강의 듣는 것을 좋아한다.

408

mayor

[méiər]

명 **시장**

▸ She was elected the first female **mayor** of the city.

그녀는 그 도시의 첫 여성 시장으로 선출되었다.

409

board

[bɔːrd]

명 **위원회**

동 **탑승하다**

▸ a **board** of education 교육 위원회

▸ You must have a ticket to **board** the ship.

배에 타려면 표가 있어야 한다.

410

unnecessary

[ənnésəsèri]

형 **불필요한**

▸ We need to save money and cut out all **unnecessary** expenses.

우리는 돈을 절약하고 불필요한 지출을 모두 줄여야 한다.

411

shy
[ʃai]
형 수줍어하는

▸ The **shy** boy has always hated speaking in public.
수줍음을 많이 타는 그 소년은 늘 사람들 앞에서 얘기하는 걸 싫어했다.

명 shyness 수줍음

412

crew
[kruː]
명 승무원, 선원

▸ The captain during the storm gave his **crew** much needed confidence.
폭풍우가 몰아치는 동안 선장은 선원들에게 대단히 필요한 자신감을 주었다.

413

divorce
[divɔ́ːrs]
명 이혼

▸ She tried to recover from the pain of her **divorce**.
그녀는 이혼의 고통에서 회복하려고 노력했다.

414

slight
[slait]
형 약간의, 조금의

▸ There is a **slight** difference between the two words.
그 두 단어 간에는 약간의 차이가 있다.

부 slightly 약간

415

assignment
[əsáinmənt]
명 과제, 임무 (= task)

▸ The teacher handed out the homework **assignment** before the class was over.
수업이 끝나기 전 선생님이 숙제로 할 과제를 내주셨다.

동 assign (일 · 책임 등을) 맡기다

접두사 ad- : '~에게' '가까이'
attack 공격하다
appointment 약속, 임명

Tip. 접두사 ad-는 뒤에 따라오는 어근의 첫글자와 같은 철자로 '동음화'되는 것이 특징이다. 그러므로 a다음에 'tt, pp, ss, ff' 처럼 같은 철자 두개로 이루어진 단어는 대부분 접두사 ad-이다.

416

cartoon

[ka:rtú:n]

명 만화

▸ **Cartoon** characters such as Pororo amused the children.

뽀로로 같은 만화 캐릭터들이 아이들을 즐겁게 해주었다.

Tip web(인터넷) + cartoon(만화) → webtoon(웹툰)

day 14

417

selfish

[sélfiʃ]

형 이기적인

▸ She grew up to be a **selfish** adult.

그녀는 이기적인 어른으로 자랐다.

명 selfishness 이기적임

접미사 -ish : 형용사 접미사

childish 유치한

foolish 어리석은

418

industrial

[indʌ́striəl]

형 산업의

▸ The **Industrial** Revolution began in the 18th century, when agricultural societies became more industrialized and urban.

산업 혁명은 18세기에 시작되었는데, 그 때 농업 사회는 더 산업화되고 도시화 되었다.

명 industry 산업; 근면

비교 industrious 근면한

419

odd

[ad]

형 이상한

(= strange, unusual)

▸ I saw an **odd** woman wearing a thick jacket in hot weather.

나는 더운 날씨에 두꺼운 자켓을 입고 있는 이상한 여자를 봤다.

420

discourage

[diskə́:ridʒ]

동 막다, 좌절시키다

(↔ encourage 용기를 북돋아주다)

▸ His parents **discouraged** him **from** playing a mobile game.

그의 부모는 그에게 모바일 게임을 못하게 막았다.

명 discouragement 낙심, 좌절

DAY 14 - TEST

A 다음 단어들을 영어는 한글로 한글은 영어로 쓰세요.

1	perceive	1	공연
2	graduate	2	대기
3	constant	3	분쟁
4	merchant	4	교수
5	commercial	5	위원회
6	mayor	6	불필요한
7	crew	7	수줍은
8	slight	8	과제, 임무
9	selfish	9	만화
10	odd	10	막다, 좌절시키다

C 다음 밑줄 친 단어와 같은 의미의 단어를 고르세요.

1 He's gone to Italy on a special assignment.

ⓐ dose ⓑ task ⓒ favor ⓓ defect

2 New technology was perceived to be a threat to employment.

ⓐ nominated ⓑ received ⓒ surrounded ⓓ recognized

3 I always feel uneasy when I am in a dark building alone.

ⓐ nervous ⓑ ultimate ⓒ miserable ⓓ initial

4 The noise from the construction was constant from early morning until evening.

ⓐ literal ⓑ deficient ⓒ continuous ⓓ instant

B 다음 중 올바른 뜻을 고르세요.

1	**constant**	□ 계속되는	□ 실질적인
2	**uneasy**	□ 아픈	□ 불안한
3	**merchant**	□ 상인	□ 군인
4	**atmosphere**	□ 기분	□ 대기
5	**dispute**	□ 대화	□ 논쟁
6	**shy**	□ 수줍어하는	□ 무례한
7	**divorce**	□ 약혼	□ 이혼
8	**slight**	□ 약간의	□ 상당한
9	**assignment**	□ 임무	□ 사무
10	**odd**	□ 이상한	□ 수상한

1	**인지하다**	□ perceive	□ deceive
2	**실업**	□ employment	□ unemployment
3	**상업의**	□ commercial	□ communicative
4	**공연**	□ performance	□ persuasion
5	**꾸짖다**	□ scope	□ scold
6	**시장**	□ mayor	□ governor
7	**승무원**	□ crew	□ sailor
8	**만화**	□ cartoon	□ novel
9	**이기적인**	□ selfish	□ elegant
10	**좌절시키다**	□ encourage	□ discourage

D 다음 빈칸에 알맞은 단어를 고르세요.

1 It is hoped that the ______________ can be resolved peacefully.

ⓐ aspect ⓑ dispute ⓒ emphasis ⓓ funeral

2 She never considers anyone but herself - she's totally ______________.

ⓐ intelligent ⓑ voluntary ⓒ selfish ⓓ innate

3 We'll launch a campaign to ______________ people from smoking.

ⓐ relate ⓑ discharge ⓒ justify ⓓ discourage

day 15

» 121 150

오늘 학습할 필수 단어입니다. 눈으로 스캔하며 모르거나 헷갈리는 단어에 체크하세요.

- □ **violate** 위반하다
- □ **check** ① 점검하다 ② 억제하다
- □ **credit** 신용 거래, 외상
- □ **deny** 부인[부정]하다
- □ **tablet** 정제, 알약
- □ **conference** 회의, 회담
- □ **voluntary** 자발적인
- □ **invest** 투자하다
- □ **hire** 고용하다
- □ **manage** 관리하다, 경영하다
- □ **formally** 공식적으로
- □ **particular** 특정한, 특별한
- □ **charity** 자선(단체)
- □ **weapon** 무기
- □ **career** ① (전문) 직업 ② 경력
- □ **insurance** 보험
- □ **union** ① 통합, 결합 ② 연방, 노조
- □ **nervous** 불안해하는
- □ **task** (주어진) 일, 과제
- □ **perfume** 향수

- □ **strict** 엄격한
- □ **operation** ① 작동 ② 수술
- □ **desire** 욕구, 욕망
- □ **celebrity** 유명인
- □ **potential** 잠재적인, 잠재력
- □ **sincere** 진정한, 진심의
- □ **dishonest** 부정직한
- □ **permit** 허락[허용]하다
- □ **oxygen** 산소
- □ **envy** 부러워하다

421

violate
[váiəlèit]

동 **위반하다**(= break)

► Students who **violate** the rules will be punished.
규칙을 위반하는 학생들은 처벌받게 될 것이다.

명 violation 위반

명 violence 폭행, 폭력

형 violent 폭력적인; 격렬한

422

check
[tʃek]

동 **① 점검[확인]하다**
② 막다, 억제하다

► You have to **check** your spelling. 너는 맞춤법 검사를 해야 한다.

► We have to **check** the spread of the disease.
우리는 질병의 확산을 막아야 한다.

Tip check는 명사로 '수표'의 뜻도 있다.

423

credit
[krédit]

명 **신용 거래, 외상**

► The store allowed its regular customers to buy food on **credit**.
그 상점은 단골손님들이 외상으로 음식을 사는 것을 허용했다.

어근 **cred** : 믿음

credible 믿을 수 있는
credulous 남을 잘 믿는

424

deny
[dinái]

동 **부인[부정]하다**

► The suspect have **denied** murdering his wife.
그 용의자는 그의 아내를 살해했다는 것을 부인해왔다.

명 denial 부인, 부정

425

tablet
[tǽblit]

명 **정제, 알약**

► She often takes a couple of headache **tablets**.
그녀는 종종 두서너 알의 두통약을 먹는다.

426

conference
[kánfərəns]
명 회의, 회담

▸ The President will hold a news **conference** tomorrow.
대통령이 내일 기자회견을 열 것이다.

동 confer 협의하다, 수여하다

427

voluntary
[váləntèri]
형 자발적인

▸ It's a good idea to make a **voluntary** contribution to the charity. 그 자선단체에 자발적으로 기부하는 것은 좋은 생각이다.

부 voluntarily 자발적으로

접미사 -ary : 형용사 접미사
elementary 기본적인
imaginary 상상의

428

invest
[invést]
동 투자하다

▸ He is afraid to **invest** in the stock market because it seems risky.
그는 위험해 보여서 주식 시장에 투자하기를 두려워한다.

명 investment 투자
명 investor 투자자

429

hire
[haiər]
동 고용하다(= employ)

▸ We **hired** a skilled carpenter to build our new house.
우리는 새 집을 짓기 위해 숙련된 목수를 고용했다.

430

manage
[mǽnidʒ]
동 관리하다, 경영하다

▸ My father has **managed** a business for 30 years.
우리 아버지는 30년간 사업체를 경영해오셨다.

명 manager 관리자, 경영자

431

formally
[fɔ́ːrməli]
부 **공식적으로**(↔ informally 비공식적으로)

▸ The candidate won the election and will take office **formally** next month. 그 후보가 선거에서 이겼고 다음 달에 공식 취임할 것이다.

432

particular
[pərtíkjulər]
형 **특정한, 특별한**

▸ The children paid **particular** attention on the new subject.
그 아이들은 새로운 주제에 대해 특별한 관심을 보였다.

부 particularly 특히

어근 part : 부분
partial 부분의, 편파적인
department 과, 부서

433

charity
[tʃǽrəti]
명 **자선(단체)**

▸ My mother has worked as a volunteer for a **charity**.
우리 엄마는 한 자선기관에서 자원봉사자로 일해 왔다.

434

weapon
[wépən]
명 **무기**(= arms)

▸ The policeman ordered him to put down his **weapon**.
그 경찰관은 그에게 무기를 내려놓으라고 명령했다.

435

career
[kəríər]
명 ① (전문) **직업**
② **경력**

▸ I want to take on a **career** in teaching, but my parents insist that I become a lawyer.
나는 교사 일을 하고 싶지만, 부모님은 내가 변호사가 되라고 고집하신다.

▸ During her long **career** in advertising she won many awards.
광고계에서의 오랜 경력 동안 그녀는 많은 상을 수상했다.

436

insurance

[inʃúərəns]

명 **보험**

▸ It is wise to take out medical **insurance** for health.
건강을 위해 의료 보험을 들어두는 것이 현명하다.

437

union

[júːnjən]

명 ① **통합, 결합**
② **연방, 노조**

▸ His music is a perfect **union** of Eastern and Western music.
그의 음악은 동양과 서양 음악의 완벽한 결합이다.

▸ Some workers who refused to strike were criticized by the **union**.
파업을 거부한 일부 노동자들은 노조로부터 비난을 받았다.

접두사 uni- : '하나'의 의미
unify 통일하다, 통합하다
unique 독특한

438

nervous

[nə́ːrvəs]

형 **불안해하는, 초조해하는**
(= uneasy, anxious)

▸ I get very **nervous** when I'm in the house alone at night.
나는 밤에 집에 혼자 있을 때 아주 불안하다.

439

task

[tæsk]

명 (주어진) **일, 과제**

▸ I have to concentrate on the important **task** at hand.
나는 당면한 중요한 일에 집중해야 한다.

440

perfume

[pə́ːrfjuːm]

명 **향수**

▸ She likes to put on **perfume** when she goes out.
그녀는 외출할 때 향수뿌리는 것을 좋아한다.

441

strict
[strikt]

형 **엄격한**(= stern, rigid)

▸ You have to follow a **strict** diet in order to lose your weight.
살을 빼기 위해서는 엄격한 식단을 따라야 한다.

442

operation
[àpəréiʃən]

명 ① **작동**
② **수술**(= surgery)

▸ My mother is recovering from a major heart **operation**.
어머니는 큰 심장 수술에서 회복하고 계신다.

명 operator (장비 · 기계의) 기사

Tip 수술의 operation은 **관사**가 붙고 surgery는 **무관사**로 쓴다.

443

desire
[dizáiər]

명 **욕구, 욕망**

▸ After watching his friend die from lung cancer, he lost all **desire** to smoke.
친구가 폐암으로 죽는 것을 본 후 그는 담배를 피우고 싶은 욕망을 모두 잃었다.

형 desirable 바람직한

444

celebrity
[səlébrəti]

명 **유명인**

▸ Many **celebrities** appear on a commercial advertisement to attract people's attention.
많은 유명인들이 사람들의 관심을 끌기 위해 상업광고에 출연한다.

445

potential
[pəténʃəl]

형 **잠재적인**

명 **잠재력**

▸ I did not feel nervous about the operation because I knew the **potential** risks were low.
나는 잠재적 위험이 낮다는 것을 알았기 때문에 수술에 대해 긴장하지 않았다.

▸ The new company certainly has the **potential** for growth.
그 신생 회사는 확실히 성장 잠재력을 가지고 있다.

접미사 -tial : 형용사 접미사

essential 필수적인
racial 인종의

446

sincere
[sinsíər]
형 **진정한, 진심의**
(= genuine, serious)

▸ My husband made a **sincere** effort to quit smoking.
아버지는 담배를 끊으려고 진정한 노력을 했다.

명 sincerity 성실, 정직

day 15

447

dishonest
[disάnist]
형 **부정직한**

▸ The businessman made lots of money through **dishonest** means. 그 사업가는 부정직한 방법으로 돈을 벌었다.

명 dishonesty 부정직

448

permit
[pərmít]
동 **허락[허용]하다**

▸ Smoking is not **permitted** in the building.
건물 내에서는 흡연이 허용되지 않는다.

명 permission 허가

접두사 per- : '통과'의 의미
perfume 향수
perfect 완전한, 완성하다

449

oxygen
[άksidʒen]
명 **산소**

▸ Water consists of one **oxygen** atom and two hydrogen atoms. 물은 한 개의 산소원자와 두 개의 수소 원자로 이루어진다.

참고 carbon dioxide 이산화탄소(Co2)

450

envy
[énvi]
동 **부러워하다**

▸ Because my car is old, I **envy** my neighbor's new vehicle.
내 차가 오래되었기 때문에 이웃집 새 차가 부럽다.

형 envious 부러워하는

DAY 15 - TEST

A 다음 단어들을 영어는 한글로 한글은 영어로 쓰세요.

1 violate •
2 deny •
3 voluntary •
4 hire •
5 particular •
6 insurance •
7 strict •
8 operation •
9 potential •
10 oxygen •

1 신용 거래 •
2 회의, 회담 •
3 투자하다 •
4 공식적으로 •
5 자선(단체) •
6 향수 •
7 욕구, 욕망 •
8 유명인 •
9 부정직한 •
10 부러워하다 •

C 다음 밑줄 친 단어와 같은 의미의 단어를 고르세요.

1 We ought to hire a public relations consultant to help improve our image.

ⓐ attempt ⓑ employ ⓒ confer ⓓ urge

2 My parents were very strict with me when I was young.

ⓐ particular ⓑ static ⓒ stern ⓓ subjective

3 As a punishment, she was not permitted to attend any school activities.

ⓐ proceeded ⓑ allowed ⓒ persuaded ⓓ blocked

4 She has to have an operation on her waist.

ⓐ movement ⓑ evolution ⓒ surgery ⓓ motivation

B 다음 중 올바른 뜻을 고르세요.

1	**violate**	□ 위반하다	□ 배반하다
2	**conference**	□ 의회	□ 회의
3	**voluntary**	□ 자발적인	□ 강제적인
4	**hire**	□ 고용하다	□ 고발하다
5	**weapon**	□ 무기	□ 공격
6	**strict**	□ 엄격한	□ 과격한
7	**desire**	□ 포기	□ 욕구
8	**sincere**	□ 진정한	□ 정직한
9	**oxygen**	□ 산소	□ 수소
10	**envy**	□ 무시하다	□ 부러워하다

1	**억제하다**	□ check	□ chase
2	**부인하다**	□ defy	□ deny
3	**투자하다**	□ invade	□ invest
4	**특정한**	□ particular	□ partial
5	**초조해하는**	□ nervous	□ nasty
6	**보험**	□ insult	□ insurance
7	**일, 과제**	□ task	□ career
8	**수술**	□ organization	□ operation
9	**허락하다**	□ emit	□ permit
10	**정제, 알약**	□ tablet	□ toilet

D 다음 빈칸에 알맞은 단어를 고르세요.

1 I was very ______________ about driving again after the accident.

ⓐ nervous ⓑ faint ⓒ confident ⓓ genuine

2 Since retiring from the company, she has done ___________ work for a charity.

ⓐ exhausting ⓑ harsh ⓒ voluntary ⓓ explicit

3 The driver continued to _____________ the speed limits as he raced his car down the city streets.

ⓐ worship ⓑ violate ⓒ arrange ⓓ remove

day
16

오늘 학습할 필수 단어입니다. 눈으로 스캔하며 모르거나 헷갈리는 단어에 체크하세요.

- □ **eager** 열망하는, 간절히 바라는
- □ **encourage** 격려하다
- □ **germ** 세균, 미생물
- □ **aisle** 통로
- □ **launch** ① 발사하다 ② 시작하다
- □ **greedy** 탐욕스러운, 욕심 많은
- □ **insult** 모욕하다, 모욕
- □ **false** 거짓인, 가짜의
- □ **lecture** 강의, 강연
- □ **disturb** 방해하다
- □ **lonely** 외로운, 쓸쓸한
- □ **miserable** 비참한
- □ **misunderstand** 오해하다
- □ **advance** 진전, 발전
- □ **major** 중요한, 전공하다
- □ **pitiful** 측은한, 불쌍한
- □ **concept** 개념
- □ **rubber** 고무
- □ **combine** 결합하다
- □ **substance** 물질

- □ **prairie** 대초원
- □ **dawn** 새벽
- □ **principle** 원리, 원칙
- □ **conversation** 대화
- □ **announce** 발표하다
- □ **dumb** ① 벙어리의 ② 멍청한
- □ **shrug** (어깨를) 으쓱하다
- □ **seem** ~인 것 같다, -해 보이다
- □ **expand** 확장하다, 팽창하다
- □ **install** 설치하다

451

eager

[í:gər]

형 **열망하는, 간절히 바라는**

▸ She was **eager** to get back to work as soon as possible.
그녀는 가능한 한 빨리 업무에 복귀하고 싶어했다.

명 eagerness 열망

452

encourage

[inkə́:ridʒ]

동 **용기를 북돋아 주다, 격려하다**(↔discourage (못하도록) 막다)

▸ The principal **encouraged** the students to read many English books.
교장선생님은 학생들에게 영어책을 많이 읽도록 격려했다.

명 encouragement 격려

en- ~로 만들다

enable 가능케 하다

enlarge 크게 하다

453

germ

[dʒə:rm]

명 **세균, 미생물**

▸ In warm weather these **germs** multiply rapidly.
따뜻한 날씨에서 이 세균들은 빠르게 증식한다.

454

aisle

[ail] *s가 묵음임에 주의!

명 **통로**

▸ If you've never flown before then take an **aisle** seat.
만약 전에 비행기를 타본 적이 없다면 통로 쪽 자리에 앉아라.

Tip aisle은 발음에 주의! : [아이슬] (X) → [아일] (O)

455

launch

[lɔ:ntʃ]

동 **① 발사하다 ② 시작하다**

▸ The White House announced a plan to **launch** an artificial satellite.
백악관은 인공위성을 발사하겠다는 계획을 발표했다.

▸ The company announced a plan to **launch** a new business.
그 회사는 새로운 사업을 시작하겠다는 계획을 발표했다.

456

greedy
[grí:di]
형 **탐욕스러운, 욕심 많은**

▸ He looked at the money with **greedy** eyes.
그는 탐욕스러운 눈으로 그 돈을 바라봤다.

명 greed 탐욕

457

insult
[insʌ́lt]
동 **모욕하다**
명 **모욕**

▸ He felt his boss had **insulted** him by repeatedly ignoring his questions.
그는 상사가 그의 질문을 반복해서 무시함으로써 그를 모욕했다고 느꼈다.

▸ The two men got into a fight over a serious **insult**.
그 두 남자는 심각한 모욕으로 싸웠다.

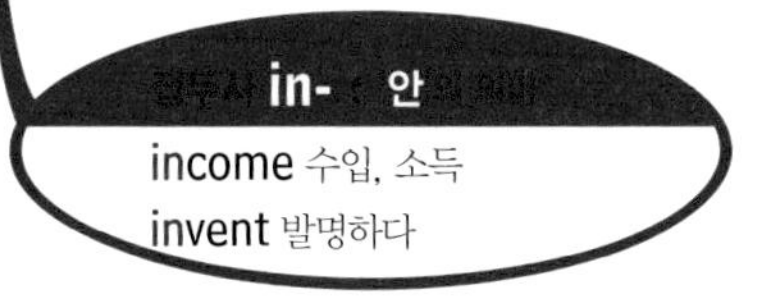

458

false
[fɔ:ls]
형 **거짓인, 가짜의**

▸ **False** news filled the internet, tricking people into believing lies.
사람들을 속여 거짓말들을 믿게 만드는 가짜 뉴스들이 인터넷에 가득했다.

동 falsify (문서를) 조작하다

459

lecture
[léktʃər]
명 **강의, 강연**

▸ He is going to give **lectures** on modern German literature.
그는 현대 독일 문학에 대해 강의할 예정이다.

참고 lecture에는 '잔소리' 라는 뜻도 있다.

460

disturb
[distə́:rb]
동 **방해하다**

▸ You are not supposed to **disturb** people who are reading in a library.
너는 도서관에서 책을 읽는 사람들을 방해해서는 안 된다.

461

lonely
[lóunli]
형 외로운, 쓸쓸한

▸ The **lonely** puppy spends most of the day alone while its owner works.
그 외로운 강아지는 주인이 일하는 동안 하루의 대부분을 혼자 보낸다.

참고 alone 혼자

462

miserable
[mízərəbl]
형 비참한

▸ She felt lonely and **miserable** after her divorce.
그녀는 이혼 후에 외롭고 비참함을 느꼈다.

명 misery 고통, 불행

463

misunderstand
[mìsʌndərstǽnd]
동 오해하다

▸ I think my friend **misunderstood** what I meant.
내 친구가 내 말을 오해한 것 같아.

명 misunderstanding 오해

접두사 mis- : '잘못'의 의미
mistake 실수(하다)
mislead 잘못 인도하다

464

advance
[ədvǽns]
명 진전, 발전

▸ **Advances** in science have brought us many changes.
과학의 발전이 우리에게 많은 변화를 가져왔다.

형 advanced 선진의, 고급의

465

major
[méidʒər]
형 중요한, 주요한
동 전공하다

▸ Abraham Lincoln is one of the **major** figures in American history.
아브라함 링컨은 미국 역사에서 중요한 인물들 중 한 명이다.

▸ His cousin **majors in** biology at the university.
그의 사촌이 그 대학에서 생물학을 전공한다.

명 majority 다수, 대부분

466

pitiful

[pítifəl]

형 **측은한, 불쌍한**

▸ Because the homeless man looked **pitiful**, I gave him some money.

그 노숙자가 불쌍해 보여서 나는 그에게 돈을 조금 줬다.

명 pity 연민, 동정

비교 pitiless 냉혹한, 무자비한

day 16

467

concept

[kάnsept]

명 **개념**(= notion)

▸ The students are taught the basic **concepts** of mathematics.

학생들은 수학에 대한 기본적인 개념들을 배운다.

동 conceive (생각을) 품다, 상상하다

468

rubber

[rʌ́bər]

명 **고무**

▸ These toys are made of **rubber**, so they won't break.

이 장난감들은 고무로 만들어져서 부러지지 않는다.

469

combine

[kəmbáin]

동 **결합하다**

▸ As a fairy tale writer, he **combined** fun **with** lesson.

동화작가로서 그는 재미와 교훈을 결합했다.

명 combination 결합

470

substance

[sʌ́bstəns]

명 **물질**(= material)

▸ The factory sent dangerous chemical **substances** into the river. 그 공장은 위험한 화학물질들을 강으로 내보냈다.

형 substantial 상당한

접두사 sub- : '아래'의 의미

subway 지하철

submarine 잠수함

471

prairie
[prέəri]
명 **대초원**

▸ 60 million bison once lived and grazed on grass in the **prairie**.
6천만 마리의 들소가 한때 대초원의 풀밭에서 살았고 풀을 뜯었다.

472

dawn
[dɔːn]
명 **새벽**

▸ She stayed up until **dawn** waiting for her husband.
그녀는 새벽까지 남편을 기다리며 깨어 있었다.

473

principle
[prínsəpl]
명 **원리, 원칙**

▸ One of the fundamental **principles** of science is asking questions.
과학의 근본 원리들 중에 하나는 질문을 하는 것이다.

비교 principal 주요한; 교장

474

conversation
[kànvərséiʃən]
명 **대화**

▸ I can have a short **conversation** in German.
나는 독일어로 짧은 대화가 가능하다.

비교 dialogue (책 · 영화 속에 나오는) 대화

475

announce
[ənáuns]
동 **발표하다**

▸ The news will **announce** a winner in the election.
뉴스에서 선거에서의 당선자를 발표할 것이다.

명 announcement 발표

명 announcer 아나운서

어근 nounce = 말하다

pronounce 발음하다
denounce 비난하다

476

dumb
[dʌm]
형 ① 벙어리의 ② 멍청한
(= silly, foolish, stupid)

► Her baby was born deaf and **dumb**.
그녀의 아기는 귀머거리와 벙어리로 태어났다.

► The student pretended to be **dumb** but was very intelligent.
그 학생은 어리석은 척했지만 아주 똑똑했다.

day 16

477

shrug
[ʃrʌg]
동 (어깨를) 으쓱하다

► He just **shrugged** his shoulders and ignored my question.
그는 그저 어깨를 으쓱하고는 내 질문을 무시했다.

478

seem
[siːm]
동 ~인 것 같다,
~해 보이다

► She's 32, but she **seems** much younger.
그녀는 32살이지만 훨씬 더 어려보인다.

479

expand
[ikspǽnd]
동 확장하다, 팽창하다
(= extend)

► The population in Seoul **expanded** rapidly in the 1980s.
서울의 인구는 1980년에 급속도로 팽창했다.

명 expansion 확대, 팽창

480

install
[instɔ́ːl]
동 설치하다

► I **installed** the latest version of the program in my computer.
나는 컴퓨터에 그 프로그램의 최신 버전을 설치했다.

명 installation 설치

어근 stal : 서있다
stable 마구간
still 정지된

DAY 16 - TEST

A 다음 단어들을 영어는 한글로 한글은 영어로 쓰세요.

1	eager	•
2	encourage	•
3	launch	•
4	greedy	•
5	lonely	•
6	pitiful	•
7	concept	•
8	substance	•
9	conversation	•
10	shrug	•

1	세균	•
2	통로	•
3	모욕하다	•
4	강의	•
5	비참한	•
6	오해하다	•
7	결합하다	•
8	원리, 원칙	•
9	벙어리의	•
10	설치하다	•

C 다음 밑줄 친 단어와 같은 의미의 단어를 고르세요.

1 He doesn't want to be <u>disturbed</u> while she's working.

ⓐ identified ⓑ imitated ⓒ interrupted ⓓ grasped

2 Sydney's population <u>expanded</u> rapidly in the 1960s.

ⓐ landed ⓑ increased ⓒ ignored ⓓ lessened

3 The refugees arriving at the camp had <u>pitiful</u> stories to tell.

ⓐ sad ⓑ mature ⓒ awful ⓓ fierce

4 It was quite clear the President was being given <u>false</u> information by those around him.

ⓐ legal ⓑ messy ⓒ logical ⓓ faulty

B 다음 중 올바른 뜻을 고르세요.

1	**eager**	□ 열망하는	□ 화내는
2	**aisle**	□ 통로	□ 복도
3	**false**	□ 진짜인	□ 거짓인
4	**combine**	□ 결합하다	□ 결정하다
5	**substance**	□ 물건	□ 물질
6	**concept**	□ 개념	□ 숙고
7	**dawn**	□ 새벽	□ 황혼
8	**conversation**	□ 대안	□ 대화
9	**dumb**	□ 벙어리의	□ 맹인의
10	**install**	□ 철거하다	□ 설치하다

1	**세균**	□ germ	□ term
2	**모욕하다**	□ insult	□ result
3	**방해하다**	□ discern	□ disturb
4	**측은한**	□ pitiful	□ pitiless
5	**전진, 발전**	□ advance	□ adverse
6	**외로운**	□ alone	□ lonely
7	**원칙**	□ principal	□ principle
8	**발표하다**	□ annonce	□ renounce
9	**~인 것 같다**	□ seen	□ seem
10	**확장하다**	□ expand	□ expend

D 다음 빈칸에 알맞은 단어를 고르세요.

1 The police will ______________ an investigation into the incident.

ⓐ dread ⓑ exceed ⓒ flourish ⓓ launch

2 The company ______________ the new computer network last week.

ⓐ implemented ⓑ impressed ⓒ installed ⓓ illustrated

3 The new teaching methods ______________ children to think for themselves.

ⓐ establish ⓑ encourage ⓒ dispose ⓓ employelevate

day
17

» 481
510

오늘 학습할 필수 단어입니다. 눈으로 스캔하며 모르거나 헷갈리는 단어에 체크하세요.

- ☐ **recover** 회복하다, 되찾다
- ☐ **face** ~을 맞다, 직면하다
- ☐ **status** 지위, 신분
- ☐ **shield** 방패; 보호하다
- ☐ **release** ① 석방하다 ② 발매하다
- ☐ **ancestor** 선조, 조상
- ☐ **adopt** ① 채택하다 ② 입양하다
- ☐ **absorb** 흡수하다
- ☐ **fit** ① 적합한 ② 건강한
- ☐ **blonde** (머리가) 금발인
- ☐ **loaf** (빵의) 한 덩어리
- ☐ **recipe** 조리법, 요리법
- ☐ **racial** 인종의
- ☐ **pack** ① (짐을) 싸다 ② 가득 채우다
- ☐ **referee** 심판
- ☐ **court** 법원, 법정
- ☐ **declare** 선언하다, 선포하다
- ☐ **participate** 참가하다
- ☐ **volunteer** 자원봉사자
- ☐ **humorous** 익살스러운

- ☐ **detect** 발견하다, 감지하다
- ☐ **prefer** 선호하다, 더 좋아하다
- ☐ **suffer** ① 고통 받다 ② (나쁜 일을) 겪다
- ☐ **adapt** 맞추다, 적응하다
- ☐ **rent** (돈 내고) 빌리다
- ☐ **contagious** 전염성의
- ☐ **worth** 가치, ~의 가치가 있는
- ☐ **speeding** 속도위반
- ☐ **strip** (옷을) 벗다, 벗기다
- ☐ **book** 예약하다

481

recover
[rikʌ́vər]

동 **회복하다, 되찾다**
(= get over)

▸ She had a serious illness, but she is **recovering** well.
그녀는 심각한 병이 있었지만 잘 회복 중이다.

명 recovery 회복

482

face
[feis]

동 **~을 맞다, 직면하다**

▸ The large company is **facing** a financial crisis.
그 대기업은 재정적 위기를 맞고 있다.

483

status
[stéitəs]

명 **지위, 신분**

▸ Doctors and lawyers have traditionally enjoyed high social **status**.
의사와 변호사들은 전통적으로 높은 사회적 지위를 누려왔다.

Tip state 상태
statue 동상
statute 법령

484

shield
[ʃiːld]

명 **방패**

동 **보호하다**

▸ The soldiers held up their **shields** to protect themselves.
군인들은 스스로를 보호하기 위해 방패를 들었다.

▸ She uses sunglasses to **shield** her eyes from the sun's bright rays.
그녀는 밝은 태양으로부터 눈을 보호하기 위해 선글라스를 사용한다.

485

release
[rilíːs]

동 **① 석방하다**
② 발매[발표]하다

▸ The king decided to **release** the prisoner.
왕은 그 죄수를 석방하기로 결정했다.

▸ The rock band plans to **release** a new album early next year.
그 록밴드는 내년 초 새 앨범을 발매할 계획이다.

Tip release는 명사로 '석방; 출시'

486

ancestor
[ǽnsestər]
명 **선조, 조상**(= ascendant)

▸ My **ancestors** were Norman who settled in England.
내 조상들은 영국에 정착한 노르만족이었다.

487

adopt
[ədάpt]
동 ① **채택하다**
② **입양하다**

▸ Congress finally **adopted** the law after a 10-month debate.
국회는 10개월간의 논의 끝에 마침내 그 법을 채택했다.

▸ The childless couple **adopted** 3 less fortunate children.
그 아이가 없는 부부는 3명의 불우한 아이들을 입양했다.

명 adoption 채택; 입양

비교 adapt 적응하다

어근 **opt** : 선택하다
option 선택, 옵션
opinion 의견

488

absorb
[æbsɔ́:rb]
동 **흡수하다**

▸ Plants **absorb** nutrients and water through their roots.
식물들은 뿌리를 통해 양분과 물을 흡수한다.

명 absorption 흡수

489

fit
[fit]
형 ① **적합한** ② **건강한**
동 (사이즈가) **맞다**

▸ Let me recommend a movie **fit** for the whold family.
가족 모두에게 맞는 영화를 추천해드릴게요.

▸ My grandfather does regular exercise in order to keep **fit**.
우리 할아버지는 건강을 유지하기 위해 정기적으로 운동을 하신다.

명 fitness 적합함; 건강

490

blonde
[blɑ:nd]
형 (머리가) **금발인**

▸ The actress dyed her hair **blonde** for her role.
그 여배우는 자신의 역할을 위해 머리를 금발로 염색했다.

day 17

491

loaf
[louf]
명 (빵의) **한 덩어리**

▶ I bought three **loaves** of bread at the bakery on the corner of the street.
나는 그 길 모퉁이 빵집에서 세 덩어리의 빵을 샀다.

Tip loaf의 복수는 loaves가 된다.

492

recipe
[résəpi]
명 **조리법, 요리법**

▶ I sometimes use a **recipe** as a guide in the cook book.
나는 가끔 요리책에서 요리법을 가이드로 사용한다.

Tip recipe 는 '레시피'라는 외래어로도 많이 쓰임

493

racial
[réiʃəl]
형 **인종의**

▶ **Racial** discrimination has taken place against African Americans in the country.
그 나라에서 아프리카계 미국인들에 대한 인종 차별이 일어났다.

Tip 명사「race ① 경주 ② 인종」의 두 의미는 각각 어원이 다르다.

494

pack
[pæk]
동 ① (짐을) **싸다**
② **가득 채우다**

▶ You should **pack** your bags. We're leaving in an hour.
너 가방 싸야 돼. 우리 1시간 후에 떠날거야.

▶ Thousands of fans **packed** into the football stadium to watch the match.
수많은 팬들이 그 경기를 보기 위해 축구 경기장을 가득 메웠다.

495

referee
[rèfərí:]
명 **심판**(= umpire)

▶ The team lost the game because the **referee** was unfair.
심판이 불공정했기 때문에 그 팀은 경기에서 졌다.

접미사 -ee : 행위를 담당하는 사람의 의미
employee 피고용인
interviewee 인터뷰 받는 사람

496

court
[kɔːrt]
명 **법원, 법정**

▸ The landlord threatened to take the farmer to **court**.
땅주인은 그 농부를 법정에 세우겠다고 협박했다.

497

declare
[dikléər]
동 **선언하다, 선포하다**

▸ America **declared** war on Japan in 1941.
미국은 1941년 일본에 전쟁을 선포했다.

명 declaration 선언, 선포

498

participate
[paːrtísəpèit]
동 **참가하다, 참여하다**

▸ The band **participates** in a summer music festival every year. 그 밴드는 매년 여름 음악 축제에 참가한다.

명 participation 참가, 참여

접미사 -ate : 동사형 접미사
donate 기부하다
educate 교육시키다

499

volunteer
[vàləntíər]
명 **자원봉사자**
동 **자원봉사하다**

▸ Most of the relief work in our society was done by **volunteers**.
우리 사회의 대부분의 구호활동은 자원봉사자들에 의해 이루어졌다.

▸ Kate and her friends wanted to **volunteer** at the soup kitchen.
케이트와 그의 친구들은 무료급식소에서 자원봉사 하기를 원했다.

500

humorous
[hjúːmərəs]
형 **익살스러운, 유머러스한**

▸ The author liked to write **humorous** stories that would keep her readers laughing.
그 작가는 그녀의 독자들을 웃게 할 유머러스한 이야기들을 쓰는 것을 좋아했다.

Tip 발음 : 유머러스(X) → 휴머러스(O)

501

detect
[ditékt]
동 발견하다, 감지하다

▸ Some cancers can be cured if **detected** and treated early.
어떤 암들은 일찍 발견되고 치료하면 완치될 수 있다.

명 detection 발견, 간파

명 detective 탐정, 형사

502

prefer
[prifə́:r]
동 선호하다, 더 좋아하다

▸ My son **prefers** watching baseball to playing it.
내 아들은 야구를 보는 것보다 직접 하는 것을 더 좋아한다.

명 preference 선호, 애호

형 preferable 선호되는, 바람직한

어근 **fer** : 운반하다

ferry 여객선
transfer 환승하다

503

suffer
[sʌ́fər]
동 ① 고통 받다, 시달리다
② (나쁜 일을) 겪다, 당하다

▸ Angela has been **suffering** from cancer for three years.
안젤라는 3년 동안 암으로 고생하고 있다.

▸ The bastket ball player **suffered** an injury during the game.
그 농구선수는 게임 중에 부상을 당했다.

명 suffering 고통, 괴로움

504

adapt
[ədǽpt]
동 맞추다, 적응하다

▸ I **adapted** to new life in the country.
난 시골에서의 새로운 생활에 적응했다.

명 adaptation 적응

505

rent
[rent]
동 (돈 내고) 빌리다

▸ We **rented** a large hall for the music concert.
우리는 음악회를 열기 위해 넓은 홀을 하나 빌렸다.

506

contagious

[kəntéidʒəs]

형 **전염성의**(= infectious)

▸ The epidemic is highly **contagious**, so you must wear a mask.

전염병은 전염성이 강하므로 마스크를 착용해야 한다.

명 contagion 전염

어근 tag : '접촉'의 의미

touch 만지다

contact ~와 접촉하다

day 17

507

worth

[wəːrθ]

명 **가치**

형 **~의 가치가 있는**

▸ The **worth** of the stocks of the company has increased.

그 회사의 주식 가치가 상승했다.

▸ She has a ruby **worth** four million dollars.

그녀는 4백만 달러의 가치가 있는 루비를 갖고 있다.

비교 worthy ~을 받을 만한

508

speeding

[spíːdiŋ]

명 **과속, 속도위반**

▸ I got a ticket for **speeding** on the way home.

집에 오던 도중에 과속으로 딱지를 뗐어.

509

strip

[strip]

동 (옷을) **벗다, 벗기다**
(= take off)

▸ Jake **stripped** and jumped into the pool.

제이크는 옷을 벗고 풀장 안으로 뛰어들었다.

510

book

[buk]

동 **예약하다**(= reserve)

▸ I **booked** a table for dinner at our favorite restaurant.

나는 우리가 가장 좋아하는 레스토랑에서 저녁 식사를 위한 테이블 하나를 예약했다.

DAY 17 - TEST

A 다음 단어들을 영어는 한글로 한글은 영어로 쓰세요.

1	recover	1	지위, 신분
2	ancestor	2	방패, 보호하다
3	release	3	흡수하다
4	blonde	4	조리법
5	racial	5	심판
6	participate	6	자원봉사자
7	contagious	7	법원, 법정
8	adapt	8	더 좋아하다
9	detect	9	(나쁜 일을) 겪다
10	worth	10	(빵의) 한 덩어리

C 다음 밑줄 친 단어와 같은 의미의 단어를 고르세요.

1 She declared her intention to become the best golfer in the world.

ⓐ announced ⓑ expanded ⓒ frustrated ⓓ facilitated

2 She uses sunglasses to shield her sensitive eyes from the sun's bright rays.

ⓐ gaze ⓑ utilize ⓒ protect ⓓ conserve

3 He suffered head injuries in the car accident.

ⓐ obtained ⓑ contained ⓒ retained ⓓ sustained

4 The infection is highly contagious, so don't let anyone else use your towel.

ⓐ painful ⓑ infectious ⓒ complete ⓓ serious

B 다음 중 올바른 뜻을 고르세요.

1	**status**	□ 상태	□ 지위
2	**ancestor**	□ 조상	□ 후손
3	**adopt**	□ 추방하다	□ 채택하다
4	**loaf**	□ 한 덩어리	□ 한 장
5	**emotion**	□ 선언하다	□ 감정
6	**contagious**	□ 건설적인	□ 전염성의
7	**adapt**	□ 적응하다	□ 적용하다
8	**speeding**	□ 속도위반	□ 신속함
9	**strip**	□ (옷을) 벗다	□ (옷을) 입다
10	**release**	□ 고발하다	□ 석방하다

1	**흡수하다**	□ absorb	□ abstract
2	**인종의**	□ racial	□ general
3	**심판**	□ committee	□ referee
4	**자원봉사자**	□ applicant	□ volunteer
5	**(나쁜 일을) 겪다**	□ suffer	□ supper
6	**더 좋아하다**	□ prefer	□ infer
7	**가치**	□ worth	□ element
8	**탐지하다**	□ defect	□ detect
9	**법정**	□ court	□ campaign
10	**보호하다**	□ shield	□ shrink

D 다음 빈칸에 알맞은 단어를 고르세요.

1 A policeman was ______________ in hospital last night after being stabbed.

ⓐ assenting ⓑ recovering ⓒ exploring ⓓ committing

2 Congress finally ______________ the law after a two-year debate.

ⓐ adopted ⓑ collected ⓒ violated ⓓ enacted

3 The hospital installed a device which can ______________ who is more at risk of a heart attack.

ⓐ generate ⓑ fulfill ⓒ invade ⓓ detect

day 18

» 511
540

오늘 학습할 필수 단어입니다. 눈으로 스캔하며 모르거나 헷갈리는 단어에 체크하세요.

- □ **compare** 비교하다
- □ **allow** 허락[허용]하다
- □ **literature** 문학
- □ **dramatic** 극적인
- □ **mission** 임무
- □ **resolve** ① 해결하다 ② 결심하다
- □ **satisfy** 만족시키다
- □ **erect** 세우다, 건립하다
- □ **means** 수단, 방법
- □ **disorder** 무질서, 엉망
- □ **prove** ① 증명하다 ② ~로 판명되다
- □ **delight** (큰) 기쁨, 즐거움
- □ **agency** 대리점, 대행사
- □ **tension** 긴장, 불안
- □ **restore** 회복시키다
- □ **match** ~에 필적하다, 어울리다
- □ **evidence** 증거
- □ **admit** ① 허락하다 ② 인정하다
- □ **convenient** 편리한
- □ **avoid** 피하다

- □ **provide** 제공하다, 공급하다
- □ **contain** ~이 들어있다, 함유하다
- □ **feature** 특징
- □ **individual** 개인, 각각의
- □ **custom** 관습
- □ **fee** 요금, -료
- □ **phase** 단계, 국면
- □ **summit** ① 정상 ② 정상 회담
- □ **endless** 끝없는
- □ **fake** 가짜의, 거짓된

511

compare

[kəmpɛ́ər]

동 **비교하다**

▸ He will **compare** the two files to see if they equal up.

그는 그 두 파일이 같은지 알아보기 위해 비교할 것이다.

명 comparison 비교

형 comparable 비슷한, 비교할 만한

512

allow

[əláu]

동 **허락[허용]하다**

▸ My parents wouldn't **allow** me to go to the concert.

부모님은 내가 그 콘서트에 가도록 허락하지 않을 것이다.

명 allowance 허용; 용돈

513

literature

[lítərətʃər]

명 **문학**

▸ I enjoy reading a classic of English **literature**.

나는 영문학 고전을 읽는 것을 즐긴다.

514

dramatic

[drəmǽtik]

형 **극적인**

▸ The team won a **dramatic** victory in the final.

그 팀은 결승전에서 극적인 성공을 거뒀다.

명 drama 극, 연극

665

mission

[míʃən]

명 **임무**

▸ The soldier completed his spying **mission** and returned to the base.

그 병사는 첩보 임무를 마치고 기지로 돌아왔다.

516

resolve

[rizálv]

동 ① 해결하다
② 결심하다

▸ The machine will not work until the engineer can **resolve** the problem.
엔지니어가 문제를 해결할 수 있을 때까지 기계가 작동하지 않습니다.

▸ After the divorce she **resolved** never to marry again.
이혼 후 그녀는 다시는 결혼하지 않겠다고 결심했다.

명 resolution 해결; 결심

day 18

517

satisfy

[sǽtisfài]

동 만족시키다

▸ The movie's ending failed to **satisfy** many audiences.
그 영화의 마지막 부분이 많은 관객들을 만족시키지 못했다.

명 satisfaction 만족시키다

형 satisfactory 만족스러운

518

erect

[irékt]

동 세우다, 건립하다

▸ They have **erected** a monument in memory of the war heroes.
그들은 그 전쟁 영웅들을 기리기 위해 기념비를 세웠다.

어근 rect : 똑바른

correct 정확한
regime 정권

519

means

[mi:nz]

명 수단, 방법

▸ The businessman has made a fortune by illegal **means**.
그 사업가는 불법적인 수단을 통해 큰돈을 벌어왔다.

숙 by means of ~에 의해

520

disorder

[disɔ́:rdər]

명 무질서, 엉망(= mess)

▸ mental **disorder** 정신장애

▸ The whole office was in a state of **disorder**.
사무실 전체가 어수선한 상태였다.

521

prove
[pruːv]

동 ① **증명하다**
② **~로 판명되다**
(= turn out)

▸ A person who is charged with a crime is considered innocent until **proved** guilty.
범죄로 고발된 사람은 유죄가 입증되기 전까지는 무죄로 간주된다.

▸ The new business **proved** to be a success.
그 새 사업은 성공으로 판명되었다.

명 proof 증거

522

delight
[diláit]

명 (큰) **기쁨, 즐거움**
(= pleasure, gladness)

▸ When his wife bore him a daughter he could not hide his **delight**.
아내가 딸을 낳았을 때 그는 기쁨을 감추지 못했다.

형 delightful 기쁜, 즐거운

523

agency
[éidʒənsi]

명 **대리점, 대행사**

▸ A travel **agency** helps to make arrangements for people who want to travel.
여행사는 여행을 가고 싶은 사람들을 위한 준비를 도와준다.

명 agent 대리인, 중개상

접미사 -cy : 명사형 접미사

fluency 유창함
currency 통화, 화폐

524

restore
[ristɔ́ːr]

동 **회복시키다**

▸ She was able to **restore** her health by resting and taking medicine.
그녀는 휴식을 취하고 약을 먹음으로써 건강을 회복할 수 있었다.

명 restoration 회복

형 restorative 회복시키는

525

refugee
[rèfjudʒíː]

명 **(피)난민**

▸ Thousands of **refugees** crossed the border to seek freedom.
수천 명의 피난민들이 자유를 찾아 국경을 넘었다.

명 refuge 피난처

526

match
[mætʃ]
동 ~에 필적하다, 어울리다(= suit)

▸ Do you think this shirt **match** your trousers?
이 셔츠가 네 바지와 어울린다고 생각하니?

527

evidence
[évidəns]
명 증거

▸ New **evidence** from a scientific study seems to support the idea.
과학 연구에서 나온 새로운 증거가 그 생각을 뒷받침하는 것 같다.

형 evident 분명한, 명백한

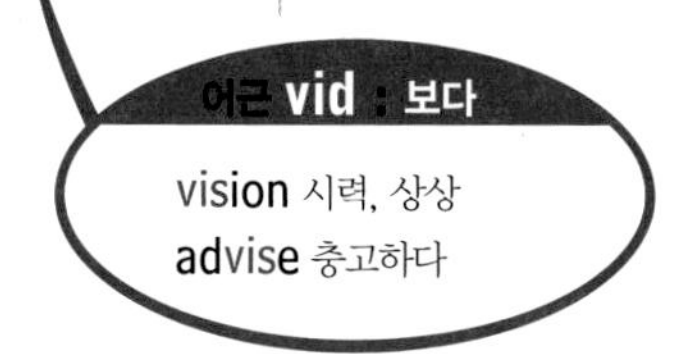

528

admit
[ædmít]
동 ① (입장을) 허락하다
② 인정하다
(= acknowledge, recognize)

▸ My mother was **admitted** to the hospital for her illness yesterday.
우리 엄마 병 때문에 어제 병원에 입원하셨어.

▸ The killer was forced to **admit** that he committed the crime.
그 살인범은 자신이 그 범죄를 저질렀다는 것을 인정할 수 밖에 없었다.

529

convenient
[kənví:njənt]
형 편리한

▸ It's a lot more **convenient** to take the subway in Seoul.
서울에서는 지하철을 타시는 것이 훨씬 편리해요.

명 convenience 편리함

비교 comfortable 편안한

530

avoid
[əvɔ́id]
동 피하다

▸ You should **avoid** fatty foods to lose your weight.
살을 빼려면 지방이 많은 음식을 피해야 한다.

명 avoidance 회피

day 18

531

provide

[prəváid]

동 **제공하다, 공급하다** (= supply)

▸ This book **provides** users with good information about health.
이 책은 사용자에게 건강에 대한 좋은 정보를 제공한다.

명 provision 공급, 제공

532

contain

[kəntéin]

동 **~이 들어있다, 함유하다**

▸ This supplement **contains** no artificial ingredients that can harm the body.
이 보충제는 몸에 해로울 수 있는 인공적인 성분들은 함유되어 있지 않다.

533

feature

[fíːtʃər]

명 **특징**(= characteristic)

▸ Our latest model of car has several new **features**.
우리의 최신 차량은 몇 가지 새로운 특징을 가지고 있다.

534

individual

[ìndəvídʒuəl]

명 **개인**

형 **각각의, 개개의**

▸ The rights of the **individual** must be protected.
개인의 권리는 보호받아야 한다.

▸ Each **individual** bag was filled with candy and cookies for the children.
각각의 가방은 아이들을 위한 사탕과 쿠키들로 가득 차 있었다.

부 individually 각각, 개별적으로

535

custom

[kʌ́stəm]

명 **관습**

▸ It is the **custom** for the bride to wear a white dress on a wedding day. 신부가 결혼식 날에 흰 드레스를 입는 것은 관습이다.

형 customary 관습적인

명 customer 손님, 고객

비교 costume (시대) 의상
accustom 익숙하게 하다

536

fee
[fiː]
명 **요금, -료**

▸ You can use the gym and sauna for a **fee** of $100 a month.
한 달에 100달러의 비용으로 헬스장과 사우나를 이용할 수 있다.

비교 cost 비용

537

phase
[feiz]
명 **단계, 국면**(= stage)

▸ The new project is only in its first **phase** of planning.
그 새로운 프로젝트는 이제 막 계획의 첫 단계 국면에 있다.

day 18

538

summit
[sʌ́mit]
명 ① **정상** ② **정상 회담**

▸ Many people have reached the **summit** of Mount Everest.
많은 사람들이 에베레스트 산 정상에 도달했다.

▸ The two presidents agreed to hold a **summit**.
그 두 대통령은 정상 회담을 개최하기로 합의했다.

539

endless
[éndlis]
형 **끝없는**

▸ That **endless** noise outside is driving me crazy.
밖에서 나는 끊이지 않는 소음이 나를 미치게 만들고 있다.

Tip 형용사 뒤에 -less 가 붙으면 '~이 없는'임을 알아두자!

접미사 -less : ~이 없는
useless 소용없는

540

fake
[feik]
형 **가짜의, 거짓된**

▸ The spy was wearing sunglasses and a **fake** mustache.
그 스파이는 선글라스를 끼고 가짜 콧수염을 붙이고 있었다.

Tip fake는 '모조품, 위조품'의 명사로도 쓰인다.

DAY 18 - TEST

A 다음 단어들을 영어는 한글로 한글은 영어로 쓰세요.

1	compare	1	문학
2	dramatic	2	임무
3	resolve	3	만족시키다
4	erect	4	무질서
5	means	5	증명하다
6	delight	6	긴장, 불안
7	convenient	7	피하다
8	evidence	8	회복시키다
9	provide	9	단계, 국면
10	individual	10	가짜의, 거짓된

C 다음 밑줄 친 단어와 같은 의미의 단어를 고르세요.

1 The kids in the playground were screaming with delight.

ⓐ sorrow ⓑ emotion ⓒ joy ⓓ relief

2 He provided us with the necessary money.

ⓐ founded ⓑ induced ⓒ maintained ⓓ supplied

3 They don't allow people to smoke in this hotel.

ⓐ admit ⓑ commit ⓒ permit ⓓ submit

4 There is only circumstantial evidence against her, so she is unlikely to be convicted.

ⓐ foundation ⓑ proof ⓒ estimation ⓓ definition

B 다음 중 올바른 뜻을 고르세요.

1	**literature**	□ 편지	□ 문학
2	**satisfy**	□ 만족시키다	□ 보충하다
3	**disorder**	□ 무질서	□ 혼동
4	**restore**	□ 반납하다	□ 회복시키다
5	**avoid**	□ 떠나다	□ 피하다
6	**contain**	□ ~이 들어있다	□ ~에 들어가다
7	**feature**	□ 장점	□ 특징
8	**fee**	□ 요금	□ 요점
9	**summit**	□ 합계	□ 정상
10	**fake**	□ 가짜의	□ 진실의

1	**비교하다**	□ compete	□ compare
2	**수단, 방법**	□ means	□ meaning
3	**긴장, 불안**	□ tension	□ attention
4	**증거**	□ evidence	□ avoidance
5	**기쁨**	□ delicacy	□ delight
6	**편리한**	□ comfortable	□ convenient
7	**공급하다**	□ provide	□ divide
8	**개인**	□ division	□ individual
9	**임무**	□ mission	□ missile
10	**비교하다**	□ compare	□ repair

D 다음 빈칸에 알맞은 단어를 고르세요.

1 We must find a way to ______________ these problems as soon as possible.

ⓐ offend ⓑ prefer ⓒ resolve ⓓ determine

2 The pilots had to take emergency action to ______________ a disaster.

ⓐ prohibit ⓑ inform ⓒ pursue ⓓ avoid

3 The police ______________ the suspect's fingerprints with those found at the crime scene.

ⓐ migrated ⓑ compared ⓒ notified ⓓ indicated

day
19

» 541
570

오늘 학습할 필수 단어입니다. 눈으로 스캔하며 모르거나 헷갈리는 단어에 체크하세요.

- □ **ordinary** 평범한, 보통의
- □ **describe** 묘사하다,(자세히)말하다
- □ **plain** 분명한, 명확한
- □ **approach** ~에 접근하다, 접근
- □ **thrive** 번창하다, 잘 자라다
- □ **republic** 공화국
- □ **democracy** 민주주의
- □ **associate** 연상하다, 연관 짓다
- □ **aware** ~을 알고 있는, 의식하는
- □ **fasten** (끈 · 벨트를) 매다, 채우다
- □ **deserve** ~을 받을만하다
- □ **communicate** 의사소통하다
- □ **logical** 논리적인
- □ **set** 정하다, 맞추다
- □ **phenomenon** 현상
- □ **elementary** 초보적인
- □ **arrest** 체포하다
- □ **portion** 몫, 부분
- □ **interview** 면접, 인터뷰
- □ **article** 기사, 글

- □ **sociable** 사교적인
- □ **composition** 구성(요소)
- □ **characteristic** 특징
- □ **intention** 의도, 목적
- □ **exist** 존재하다
- □ **liberty** 자유
- □ **entire** 전체의, 온
- □ **imaginary** 상상속의
- □ **emergency** 비상 (사태)
- □ **nearby** 근처의, 인근의

541

ordinary
[ɔ́:rdnèri]

형 **평범한, 보통의**
(= normal, average)

▸ Even though he was a man of great wealth, he lived an **ordinary** life.
그는 비록 큰 부자였지만 평범하고 평범한 삶을 살았다.

542

describe
[diskráib]

동 **묘사[서술]하다,**
(자세히) **말하다**

▸ The witness was asked to **describe** exactly what the robber looked like.
증인은 강도가 어떻게 생겼는지 정확히 설명해 달라는 요청을 받았다.

명 description 서술, 묘사

어근 **scribe** : '쓰다'의 의미
prescribe 처방하다
inscribe 새기다

543

plain
[plein]

형 **분명한, 명확한**
(= clear, evident, obvious)

▸ The evidence makes it **plain** that the suspect is guilty.
그 증거는 용의자가 유죄라는 것을 분명하게 해준다.

544

approach
[əpróutʃ]

동 **~에 접근하다**
명 **접근**

▸ The lion tried to **approach** the prey cautiously.
사자는 조심스럽게 먹이에게 다가가려고 했다.

▸ Some doctors are trying a new **approach** to cancer treatment.
몇몇 의사들은 암 치료에 대한 새로운 접근법을 시도하고 있다.

545

thrive
[θraiv]

동 **번창하다, 잘 자라다**
(= prosper, flourish)

▸ These plants **thrive** in tropical rain forests.
이 식물들은 열대 우림에서 잘 자란다.

546

republic
[ripʌ́blik]

명 **공화국**

▸ The **republic** was formed when the citizens of the country voted for a president.
그 공화국은 그 나라의 시민들이 대통령을 투표로 선출했을 때 형성되었다.

명 republican 공화주의자

547

democracy
[dimάkrəsi]

명 **민주주의**

▸ If there are not elections, then there is no **democracy**.
선거가 없다면 민주주의도 없다.

명 democrat 민주주의자

548

associate
[əsóuʃièit]

동 **연상하다, 연관 짓다**

▸ Most people **associate** this brand with good quality.
대부분의 사람들은 이 브랜드를 좋은 품질과 연관시킨다.

명 association 연관, 연상; 연합, 협회

549

aware
[əwɛ́ər]

형 **~을 알고 있는, 의식하는**(= conscious)

▸ He wasn't **aware** of the investment risk.
그는 투자 위험을 알지 못했다.

명 awareness 의식

550

fasten
[fǽsn] * t 가 묵음임에 주의!

동 (끈 · 벨트를) **매다, 채우다**
(↔ unfasten 풀다, 끄르다)

▸ Make sure your seat belt is securely **fastened**.
안전벨트가 단단히 매어졌는지 확인하십시오.

551

deserve

[dizə́:rv]

동 ~을 받을만하다

(= merit)

▸ The student **deserves** a prize for his good behavior.

그 학생은 선행에 대해 상을 받을만하다.

어근 serve : '보호하다'의 의미

servant 하인

preserve 보존하다

552

communicate

[kəmjú:nəkèit]

동 의사소통하다

▸ We can **communicate** with people on the other side of the world.

우리는 이제 지구 반대편에 있는 사람들과 의사소통을 할 수 있습니다.

명 communication 의사소통

553

logical

[ládʒikəl]

형 논리적인

(↔ illogical 비논리적인)

▸ Students need to acquire the ability to construct a **logical** argument.

학생들은 논리적인 주장을 구성할 수 있는 능력을 습득해야 한다.

명 logic 논리, 타당성

554

set

[set]

동 정하다, 맞추다

▸ They haven't **set** a date for the wedding yet.

그들은 아직 결혼 날짜를 잡지 못했다.

불규칙 set - set - set

555

phenomenon

[finάmənὰn]

명 현상

▸ The scientist studies natural **phenomena** like lightning and earthquakes.

그 과학자는 번개와 지진같은 자연 현상들을 연구한다.

Tip phenomenon의 **복수** → phenomena

556

elementary
[èləméntəri]
형 초보적인, 기초적인

▸ I'm only familiar with the law at an **elementary** level.
나는 법에 대해 기초적인 수준에서만 알고 있다.

Tip an elementary school 초등학교

557

arrest
[arest]
동 체포하다
명 체포

▸ The policeman **arrested** the criminal on the spot.
그 경찰관은 현장에서 범인을 체포했다.

▸ The police put him under **arrest**.
경찰은 그를 체포했다.

558

portion
[pɔ́:rʃən]
명 몫, 부분

▸ He's going to receive a large **portion** of the profits.
그는 수익의 큰 몫을 받을 것이다.

559

interview
[íntərvjù:]
명 면접, 인터뷰

▸ I have an **interview** for a job with a publisher tomorrow morning.
내일 아침에 출판사와 취업 면접이 있어요.

명 interviewer 면접관

명 interviewee 면접 받는 사람

접두사 inter- : '사이'의 의미
international 국제의
internet 인터넷

560

article
[á:rtikl]
명 기사, 글

▸ I read an **article** in the newspaper about the effect of climate change.
나는 신문에서 기후변화의 영향에 관한 기사를 읽었다.

561

sociable
[sóuʃəbl]
형 사교적인

▸ She is a **sociable** person who enjoys having parties.
그녀는 파티를 즐기는 사교적인 사람이다.

비교 social 사회의

562

composition
[kàmpəzíʃən]
명 ① 구성(요소)
② 작곡, 작문

어근 pos : '놓다'의 의미
position 직책, 지위
post 게시하다, 올리다

▸ The chemical **composition** of water is two hydrogen atoms and one oxygen atom.
물의 화학적 성분은 수소 원자 두 개와 산소 원자 한 개이다.

▸ At music school I studied piano and **composition**.
음악 학교에서 나는 피아노와 작곡을 공부했다.

563

characteristic
[kæriktərístik]
명 특징(= feature)

▸ She has some **characteristics** that make her stand out from the crowd.
그녀는 사람들로부터 자신을 돋보이게 하는 몇 가지 특징을 가지고 있다.

564

intention
[inténʃən]
명 의도, 목적

▸ He announced his **intention** to run for president.
그는 대통령에 출마하겠다는 그의 의도를 발표했다.

형 intentional 의도적인

부 intentionally 의도적으로

565

exist
[igzíst]
동 존재하다

▸ Poverty and unfairness still **exist** in this country.
가난과 불공정이 여전히 이 나라에 존재한다.

명 existence 존재

566

liberty
[líbərti]
명 **자유**(= freedom)

▸ We will fight to the end for **liberty** and equality.
우리는 자유와 평등을 위해 끝까지 싸울 것이다.

참고 the Statue of Liberty 자유의 여신상

접미사 -ty : 명사형 접미사
safety 안전
uncertainty 불확실성

567

entire
[intáiər]
형 **전체의, 온 –** (= whole)

▸ She has dedicated her **entire** life to helping poor people.
그녀는 평생을 가난한 사람들을 돕는데 헌신했다.

부 entirely 전적으로, 완전히

568

imaginary
[imǽdʒinèri]
형 **상상속의**

▸ A dragon, an **imaginary** animal, is the main character of the cartoon.
상상 속의 동물인 용이 그 만화의 주인공이다.

비교 imaginative 상상력이 풍부한

569

emergency
[imə́ːrdʒənsi]
명 **비상 (사태)**

▸ In case of **emergency**, press the alarm button.
비상시에는 알람 버튼을 누르세요.

동 emerge 갑자기 나타나다

Tip an emergency room 응급실

570

nearby
[nìərbái]
형 **근처의, 인근의**

▸ We'll go on a hike on a **nearby** mountain this weekend.
우리 이번 주말에 근처 산으로 등산 갈 거야.

DAY 19 - TEST

A 다음 단어들을 영어는 한글로 한글은 영어로 쓰세요.

1	ordinary	1	~받을만하다
2	describe	2	논리적인
3	plain	3	체포하다
4	thrive	4	공화국
5	aware	5	기사, 글
6	approach	6	초보적인
7	phenomenon	7	사교적인
8	composition	8	의도, 목적
9	liberty	9	상상속의
10	entire	10	비상 (사태)

C 다음 밑줄 친 단어와 같은 의미의 단어를 고르세요.

1 I suddenly became <u>aware</u> of him looking at me.

ⓐ conscious ⓑ severe ⓒ cautious ⓓ sensitive

2 His business is <u>thriving</u> during a recession.

ⓐ specifying ⓑ wandering ⓒ prospering ⓓ reflecting

3 He announced his <u>intention</u> of standing for parliament.

ⓐ aim ⓑ region ⓒ policy ⓓ strategy

4 We live in a nation that values <u>liberty</u> and democracy.

ⓐ commission ⓑ freedom ⓒ activity ⓓ process

B 다음 중 올바른 뜻을 고르세요.

1	**associate**	□ 연상하다	□ 인상하다
2	**republic**	□ 공공의	□ 공화국
3	**thrive**	□ 성장하다	□ 번창하다
4	**elementary**	□ 초보적인	□ 효과적인
5	**logical**	□ 예비의	□ 논리적인
6	**arrest**	□ 체포하다	□ 고발하다
7	**deserve**	□ ~을 받을만하다	□ 예약하다
8	**intention**	□ 의도	□ 의지
9	**liberty**	□ 사치	□ 자유
10	**emergency**	□ 출현	□ 비상사태

1	**묘사하다**	□ describe	□ proscribe
2	**평범한**	□ obvious	□ ordinary
3	**~을 알고 있는**	□ aware	□ awake
4	**민주주의**	□ detection	□ democracy
5	**의사소통하다**	□ commit	□ communicate
6	**기사, 글**	□ article	□ artificial
7	**현상**	□ philosophy	□ phenomenon
8	**몫, 부분**	□ portion	□ proportion
9	**사교적인**	□ social	□ sociable
10	**구성(요소)**	□ component	□ comparison

D 다음 빈칸에 알맞은 단어를 고르세요.

1 We often experience natural ______________ like lightning and earthquakes.

ⓐ consequences ⓑ phenomena ⓒ features ⓓ circumstances

2 They ______________ praise for all their hard work.

ⓐ replace ⓑ solidify ⓒ deserve ⓓ deny

3 The pilot was forced to make an ____________ landing when one of the engines failed.

ⓐ destruction ⓑ disaster ⓒ difficulty ⓓ emergency

day
20

» 571
600

오늘 학습할 필수 단어입니다. 눈으로 스캔하며 모르거나 헷갈리는 단어에 체크하세요.

- □ **tough** ① 힘든, 어려운 ② 강한
- □ **frighten** 겁먹게 하다
- □ **ideal** 이상적인
- □ **per** 각–, 매–, –당
- □ **mental** 정신적인
- □ **pretend** ~인 척하다
- □ **robber** 강도
- □ **terror** ① 공포 ② 테러
- □ **necessary** 필요한
- □ **abuse** ① 남용, 오용 ② 학대
- □ **respect** 존경하다
- □ **typical** 전형적인
- □ **unreasonable** 불합리한
- □ **beneath** ~의 아래
- □ **disappoint** 실망시키다
- □ **appointment** 약속
- □ **blank** 빈칸
- □ **unfortunately** 불행하게도
- □ **compass** 나침반
- □ **complain** 불평[항의]하다

- □ **discount** 할인
- □ **approve** 찬성하다, 승인하다
- □ **manner** ① 방식 ② 예절
- □ **terrific** 아주 멋진, 훌륭한
- □ **subject** ① 주제 ② 과목
- □ **poverty** 가난
- □ **transfer** 갈아타다, 환승하다
- □ **interrupt** 방해하다, 중단시키다
- □ **precise** 정확한
- □ **exhibition** 전시회

571

tough

[tʌf]

형 ① 힘든, 어려운
② 강한, 튼튼한

▸ I had to make a **tough** decision on the issue.
나는 그 문제에 대해 힘든 결정을 내려야했다.

▸ The carpet is made of **tough** material.
그 카펫은 튼튼한 소재로 만들어진다.

참고 rough 거친, 대강의

572

frighten

[fráitn]

동 겁먹게 하다(= threaten)

▸ Scary stories don't **frighten** me, but horror films make me nervous.
무서운 이야기는 나를 겁나게 하진 않지만, 공포 영화는 나를 불안하게 만든다.

명 fright 공포

접미사 -en : '~하게 만들다'의 의미
deepen 깊게하다
darken 어둡게하다

573

ideal

[aidí:əl]

형 이상적인

▸ The beautiful island is an **ideal** spot for a vacation.
그 아름다운 섬은 휴가 보내기에 이상적인 장소다.

574

per

[pər]

명 각-, 매-, -당

▸ The pay is $15 **per** hour. 급여는 시간당 15달러다.

▸ This room costs $200 **per** night. 이 방은 1박당 200달러입니다.

575

mental

[méntl]

형 정신적인

▸ Stress has an effect on both your physical and **mental** health. 스트레스는 신체적, 정신적 건강 모두에 영향을 미친다.

576

pretend
[priténd]

동 ~인 척하다

▸ The children **pretended** to be asleep on the bed.
그 아이들은 침대 위에서 자는 척했다.

명 pretense 가식, 가장

577

robber
[rábər]

명 강도

▸ The bank was held up by a gang of **robbers**.
그 은행이 강도 일당에 의해 털렸다.

명 robbery 강도 사건

접미사 -er : '사람'의 의미

employer 고용주
batter 타자

578

terror
[térər]

명 ① 공포 ② 테러

▸ Shots rang out, and many people screamed in **terror**.
총성이 울렸고, 많은 사람들이 공포에 질려 비명을 질렀다.

▸ The government declared a war on **terror**.
정부는 테러와의 전쟁을 선포했다.

명 terrorist 테러리스트, 테러범

579

necessary
[nésəsèri]

형 필요한, 필연적인

▸ a **necessary** procedure 필요한 절차

▸ It's not **necessary** to wear a tie at the party.
파티에서 넥타이를 맬 필요는 없다.

부 necessarily 필연적으로

숙어 not necessarily 반드시[꼭] ~은 아닌

580

abuse
[əbjú:z]

명 ① 남용, 오용
② 학대

▸ The committee will look into human rights **abuses**.
그 위원회는 인권 남용 사태를 조사할 것이다.

▸ She was charged with child **abused**.
그녀는 아동 학대 혐의로 고발되었다.

581

respect
[rispékt]
동 **존경하다**

▸ The students **respect** the teacher for his honesty.
학생들은 정직함에 대해서 그 선생님을 존경한다.

형 respectable 존경받을만한

Tip respect는 명사로도 쓰임

어근 spect : '보다'의 의미
spectacle 광경
inspect 검사하다

582

typical
[típikəl]
형 **전형적인**

▸ This advertisement is a **typical** example of their marketing strategy.
이 광고는 그들의 마케팅 전략의 전형적인 예이다.

부 typically 전형적으로

583

unreasonable
[ənríznəbəl]
형 **불합리한, 무리한**
(↔reasonable 합리적인)

▸ We can't accept their **unreasonable** demands.
우리는 그들의 불합리한 요구들을 받아들일 수 없다.

584

beneath
[biní:θ]
전 **~의 아래**(= below)

▸ The submarine was **beneath** the surface of the water.
잠수함이 수면 아래에 있었다.

585

disappoint
[dìsəpɔ́int]
동 **실망시키다**

▸ The new movie **disappointed** many viewers who had expected it. 그 새 영화는 기대했던 많은 관객들을 실망시켰다.

명 disappointment 실망

형 disappointed 실망한

586

appointment
[əpɔ́intmənt]
명 ① (만남의) **약속**
② **임명**

▸ I'd like to make an **appointment** to see the doctor.
진료 예약을 하고 싶은데요.

▸ They congratulated him on his **appointment** as chairman. 그들은 그가 의장으로 임명된 것을 축하했다.

동 appoint (약속을) 정하다; 임명하다

587

blank
[blæŋk]
명 **빈칸**

▸ Sign your name in the **blank** space at the bottom of the form. 양식 맨 아래에 있는 빈칸에 서명하세요.

588

unfortunately
[ənfɔ́rtʃənətli]
부 **불행하게도**

▸ **Unfortunately**, there are no more tickets for the movie we want to see.
불행히도, 우리가 보고 싶은 영화의 표가 더 이상 없다.

접미사 -ly : 부사형 접미사
kindly 친절하게
wisely 현명하게

589

compass
[kʌ́mpəs]
명 **나침반**

▸ Explorers used the **compass** to find their way to the island.
탐험가들은 그 섬으로 가는 길을 찾기 위해 나침반을 이용했다.

590

complain
[kəmpléin]
동 **불평[항의]하다**

▸ The students **complained** about all the extra math homework.
학생들은 추가된 모든 수학 숙제에 대해 불평했다.

명 complaint 불평, 불만

591

discount
[dískaunt]
명 **할인**

▸ If you pay for the tickets beforehand, you can get a 10% **discount**.
티켓 값을 미리 지불하시면 10% 할인 받으실 수 있습니다.

어근 count : 세다
account 계좌, 구좌
countless 무수히 많은

592

approve
[əprúːv]
동 ① **찬성하다**
② **승인하다**

▸ I don't **approve** of the way she treats her children.
나는 그녀가 아이들을 다루는 방식에 찬성하지 않는다.

▸ The resolution of the meeting were **approved** unanimously.
그 결의안은 만장일치로 승인되었다.

명 approval 찬성; 승인

593

manner
[mǽnər]
명 ① **방식, 태도**
② **예의, 예절**

▸ He solved the problem in his own peculiar **manner**.
그는 독특한 태도로 그 문제를 해결했다.

▸ She taught her children excellent **manners**.
그녀는 자녀들에게 훌륭한 예절을 가르쳤다.

Tip 예절은 manners의 복수 형태로 쓰임에 유의!

594

terrific
[tərífik]
형 **아주 멋진, 훌륭한**
(↔terrible 끔찍한)

▸ The family had a **terrific** dinner at the luxurious restaurant.
그 가족은 고급 레스토랑에서 근사한 저녁을 먹었다.

595

subject
[sʌ́bdʒik]
명 ① **주제**
② **과목**

▸ Food, like money, is a **subject** of almost universal interest.
돈과 같이 음식은 거의 보편적인 관심의 대상이다.

▸ What is your favorite **subject**?
네가 가장 좋아하는 과목이 뭐니?

형 subjective 주관적인

596

poverty
[pάvərti]
명 가난

▸ Many people in the city live in severe **poverty**.
그 도시의 많은 사람들이 극심한 가난 속에 산다.

형 poor 가난한; 불쌍한

597

transfer
[trænsfə́ːr]
동 갈아타다, 환승하다

▸ It will take about 5 minutes to **transfer** from bus to subway.
버스에서 지하철로 갈아타는데 5분 정도 걸릴 거예요.

598

interrupt
[ìntərʌ́pt]
동 방해하다, 중단시키다

▸ It's rude to **interrupt** people while they're talking.
사람들이 말하는 동안 끼어드는 것은 무례하다.

명 interruption 중단

599

precise
[prisáis]
형 정확한(= exact, correct)

▸ It was difficult to get **precise** information on the subject.
그 주제에 관한 정확한 정보를 얻기가 어려웠다.

600

exhibition
[èksəbíʃən]
명 전시회

▸ Many famous paintings are displayed at the **exhibition**.
많은 유명한 그림들이 그 전시회에 전시되어 있다.

동 exhibit 전시하다

day 20

DAY 20 - TEST

A 다음 단어들을 영어는 한글로 한글은 영어로 쓰세요.

1	tough	1	이상적인
2	frighten	2	정신적인
3	pretend	3	실망시키다
4	necessary	4	남용, 오용
5	complain	5	~의 아래
6	blank	6	불행하게도
7	approve	7	주제, 과목
8	poverty	8	정확한
9	transfer	9	전시회
10	interrupt	10	강도

C 다음 밑줄 친 단어와 같은 의미의 단어를 고르세요.

1 Nothing seemed to frighten the strong and brave soldier.

ⓐ counsel ⓑ attack ⓒ threaten ⓓ accomplish

2 We deeply respect David for what he has achieved.

ⓐ look at ⓑ look for ⓒ look up to ⓓ look down on

3 It's rude to interrupt people while they're talking.

ⓐ disturb ⓑ resume ⓒ confirm ⓓ construct

4 We will never know the precise details of his death.

ⓐ critical ⓑ exact ⓒ generous ⓓ intuitive

B 다음 중 올바른 뜻을 고르세요.

1	**ideal**	□ 이상적인	□ 이성적인
2	**mental**	□ 정신적인	□ 정서적인
3	**abuse**	□ 사용	□ 남용
4	**disappoint**	□ 임명하다	□ 실망시키다
5	**typical**	□ 전형적인	□ 전체적인
6	**beneath**	□ ~의 위에	□ ~의 아래에
7	**approve**	□ 승인하다	□ 반대하다
8	**poverty**	□ 가난	□ 가장
9	**precise**	□ 확실한	□ 정확한
10	**exhibition**	□ 전시회	□ 예방

1	**존경하다**	□ aspect	□ respect
2	**힘든, 어려운**	□ tough	□ rough
3	**필요한**	□ necessary	□ negative
4	**불합리한**	□ reasonable	□ unreasonable
5	**불평하다**	□ compete	□ complain
6	**할인**	□ discount	□ discord
7	**아주 멋진**	□ terrible	□ terrific
8	**주제, 과목**	□ object	□ subject
9	**중단시키다**	□ interrupt	□ interfere
10	**빈칸**	□ blind	□ blank

D 다음 빈칸에 알맞은 단어를 고르세요.

1 My employer wanted to ______________ me to another department.

ⓐ apply ⓑ transport ⓒ observe ⓓ transfer

2 Lots of people have ______________ about the noise.

ⓐ instructed ⓑ exhibited ⓒ complained ⓓ spilt

3 The city has ______________ the building plans, so work on the new school can begin immediately.

ⓐ denied ⓑ approve ⓒ disappointed ⓓ abused

day 21

» 601
630

오늘 학습할 필수 단어입니다. 눈으로 스캔하며 모르거나 헷갈리는 단어에 체크하세요.

- □ **authority** 권한
- □ **temporary** 일시적인
- □ **replace** 대체하다, 교체하다
- □ **complete** 완성하다
- □ **willing** 기꺼이 ~하는
- □ **obesity** 비만
- □ **predator** 포식자
- □ **various** 다양한
- □ **private** 사적인, 개인적인
- □ **client** 고객, 의뢰인
- □ **warrior** 전사
- □ **generation** 세대
- □ **purpose** 목적, 의도
- □ **retire** 은퇴하다
- □ **agriculture** 농업
- □ **homeless** 집이 없는, 노숙자의
- □ **flour** 밀가루
- □ **explore** 탐험하다, 탐사하다
- □ **pollution** 오염, 공해
- □ **kingdom** 왕국

- □ **broadcast** 방송하다
- □ **emotion** 감정, 정서
- □ **reasonable** 합리적인, 타당한
- □ **invaluable** 매우 귀중한
- □ **elegant** 우아한
- □ **vital** 필수적인, 중요한
- □ **contaminate** 오염시키다
- □ **protect** 보호하다, 지키다
- □ **claim** ① 주장하다 ② 요구하다
- □ **instance** 사례, 경우

601

authority
[əθɔ́:rəti]
명 **권한**(= power)

▸ Because I am the manager, I have the **authority** to hire people.
나는 매니저이기 때문에 사람들을 고용할 권한이 있다.

동 authorize 승인하다

602

temporary
[témpərèri]
형 **일시적인, 임시의**

▸ I've got a **temporary** job, but I hope I'll find something permanent.
나는 임시직을 얻었는데 정규직 일자리를 찾기를 희망한다.

부 temporarily 일시적으로, 임시로

603

replace
[ripléis]
동 **대체하다, 교체하다**

▸ I realized that I needed to **replace** the batteries of the remote control.
나는 리모컨의 배터리를 교체해야 한다는 것을 깨달았다.

명 replacement 대체, 교체

604

complete
[kəmplí:t]
동 **완성하다, 완수하다**
(= finish, finalize)

▸ It will take several years to **complete** the project.
그 프로젝트를 완료하는 데 몇 년이 걸릴 것이다.

Tip complete는 '완전한, 완벽한'의 형용사로도 쓰임.

어근 ple : '채우다'의 의미
supply 공급하다
deplete 고갈시키다

605

willing
[wíliŋ]
형 **기꺼이 ~하는**
(↔ unwilling 꺼리는, 싫어하는)

▸ They were **willing** to help the homeless and the poor.
그들은 노숙자들과 가난한 사람들을 기꺼이 도왔다.

부 willingly 기꺼이

606

obesity
[oubíːsəti]
명 비만

▸ **Obesity** is a serious problem in our society these days.
비만은 요즘 우리 사회의 심각한 문제다.

형 obese 비만의 ↔ slender 날씬한

607

predator
[prédətər]
명 포식자

▸ Because the lion is a **predator**, its diet consists of the weaker animals it kills.
사자는 포식자이기 때문에, 먹이는 사자가 죽이는 약한 동물로 구성되어 있다.

608

various
[vɛ́əriəs]
형 다양한(= diverse)

▸ The new shoes came in **various** colors and sizes.
그 새로운 신발은 다양한 색상과 크기로 나왔다.

명 variety 다양성

609

private
[práivət]
형 사적인, 개인적인

▸ In interviews he refuses to talk about his **private** life.
그는 인터뷰에서 자신의 사생활에 대해 이야기하기를 거부한다.

명 privacy 사생활

접미사 -ate : 형용사형 접미사
separate 분리된
moderate 온건한, 중도의

610

client
[kláiənt]
명 고객, 의뢰인

▸ It's important to create a good impression when you meet a new **client**.
새로운 고객을 만날 때 좋은 인상을 심어주는 것이 중요하다.

611

warrior

[wɔ́:riər]

명 **전사**

▸ He was a **warrior** against racial discrimination in the country.

그는 그 나라의 인종 차별에 맞서 싸운 전사였다.

Tip keyboard warrior : 인터넷에서 악성 댓글을 다는 사람

612

generation

[dʒènəréiʃən]

명 **세대**

▸ It's our duty to preserve the planet for future **generations**.

미래 세대를 위해 행성(지구)을 보존하는 것은 우리의 의무입니다.

613

purpose

[pə́:rpəs]

명 **목적, 의도**

(= aim, goal, end)

▸ The **purpose** of the new resort near the beach is to attract more tourists.

그 해변 근처의 새로운 리조트의 목적은 더 많은 관광객을 유치하기 위한 것이다.

숙 on purpose 고의로

614

retire

[ritáiər]

동 **은퇴하다**

▸ My father is going to **retire** from his job in two years.

아버지는 2년 후에 직장에서 은퇴할 예정이다.

명 retirement 은퇴

비교 resign 사임하다

615

agriculture

[ǽgrəkʌltʃər]

명 **농업**

▸ The country depends on **agriculture** for most of its income.

그 나라는 수입의 대부분을 농업에 의존하고 있다.

어근 cult : '재배'의 의미

culture 문화, 배양

agriculture 양식, 수경재배

616

homeless
[hóumlis]
형 집이 없는, 노숙자의

▸ The worst flood left thousands of people **homeless**.
그 최악의 홍수로 인해 수천 명의 사람들이 집을 잃었다.

617

flour
[fláuər]
명 밀가루

▸ The chef made a paste by mixing **flour** with water.
그 주방장은 밀가루와 물을 섞어 반죽을 만들었다.

618

explore
[iksplɔ́:r]
동 탐험하다, 탐사하다

▸ The young prince has longed to **explore** the whole world.
그 어린 왕자는 전 세계를 탐험하기를 갈망해 왔다.

명 exploration 탐험

명 explorer 탐험가

619

pollution
[pəlú:ʃən]
명 오염, 공해
(= contamination)

▸ We must take measures to cope with environmental **pollution**.
우리는 환경 오염을 대처하기 위한 대책을 세워야 한다.

620

kingdom
[kíŋdəm]
명 왕국

▸ The prince of the **kingdom** died before he could ascend to the throne.
그 왕국의 왕자는 왕위에 오르기 전에 죽었다.

접미사 -dom : 명사형 접미사

freedom 자유
stardom 스타들, 스타계

621

broadcast

[brɔ́:dkæst]

동 **방송하다**

▸ The final game will be **broadcast** live this Saturday night.
결승전이 이번 주 토요일 밤에 생중계될 것이다.

명 broadcasting 방송

불규칙 broadcast - broadcast - broadcast

622

emotion

[imóuʃən]

명 **감정, 정서**

▸ He always makes decisions based on **emotion** rather than reason.
그는 늘 이성보다는 감정에 근거해 결정을 내린다.

형 emotional 감정의, 정서의

623

reasonable

[rí:zənəbl]

형 **합리적인, 타당한**
(= rational)

▸ There was a **reasonable** doubt about his guilt.
그의 죄에 대해 합리적인 의심이 있었다.

명 reason 이유, 원인; 이성

624

invaluable

[invǽljuəbl]

형 **매우 귀중한**
(= priceless)

▸ He obtained an **invaluable** painting in the auction.
그는 경매에서 매우 귀중한 그림을 얻었다.

Tip invaluable은 '무가치한'이 아닌 '매우 귀중한'의 뜻임에 주의!

어근 val : 강한'의 의미

value 가치
valid 유효한

625

elegant

[éligənt]

형 **우아한**

▸ The **elegant** queen was wearing a crown decorated with jewels.
그 우아한 여왕은 보석들로 장식된 왕관을 쓰고 있었다.

명 elegance 우아

626

vital
[váitl]
형 **필수적인, 중요한**
(= essential)

▸ The detective managed to find the **vital** clue to the mystery.
그 형사는 그 미스터리의 중요한 단서를 힘들게 찾아냈다.

627

contaminate
[kəntǽmənèit]
동 **오염시키다**
(= pollute)

▸ The river was **contaminated** with harmful chemicals.
그 강은 해로운 화학물질로 오염되었다.

명 contamination 오염
명 contaminant 오염 물질

628

protect
[prətékt]
동 **보호하다, 지키다**

▸ Sunglasses **protect** your eyes from ultraviolet(UV) light.
선글라스는 자외선으로부터 여러분의 눈을 보호합니다.

명 protection 보호

629

claim
[kleim]
동 **① 주장하다**
② 요구하다

▸ He **claims** to know nothing about the robbery.
그는 그 강도 사건에 대해 전혀 아는 것이 없다고 주장한다.

▸ You can **claim** back the overpaid tax.
당신은 초과 납부된 세금 반환을 요구할 수 있다.

어근 claim : '외치다'의 의미
acclaim 환호하다
proclaim 공표하다

630

instance
[ínstəns]
명 **사례, 경우**
(= example, case)

▸ There are several **instances** of violence at the school.
몇 가지 학교 폭력 사례들이 있다. .

숙 for instance 예를 들어

DAY 21 - TEST

A 다음 단어들을 영어는 한글로 한글은 영어로 쓰세요.

1 temporary •
2 replace •
3 obesity •
4 various •
5 client •
6 purpose •
7 retire •
8 explore •
9 resonable •
10 protect •

1 권한 •
2 기꺼이 ~하는 •
3 포식자 •
4 사적인 •
5 전사 •
6 세대 •
7 밀가루 •
8 오염 •
9 우아한 •
10 감정, 정서 •

C 다음 밑줄 친 단어와 같은 의미의 단어를 고르세요.

1 I enjoy eating in various types of restaurants.

ⓐ noble ⓑ keen ⓒ exotic ⓓ diverse

2 The purpose of the new resort is to attract more tourists.

ⓐ trace ⓑ reason ⓒ obligation ⓓ distinction

3 The company claims it is not responsible for the pollution in the river.

ⓐ location ⓑ emission ⓒ contamination ⓓ community

4 There have been several instances of violence at the school.

ⓐ examples ⓑ beverages ⓒ sorts ⓓ substances

B 다음 중 올바른 뜻을 고르세요.

1	**authority**	□ 제한	□ 권한
2	**replace**	□ 대체하다	□ 보존하다
3	**predator**	□ 먹이	□ 포식자
4	**client**	□ 의뢰인	□ 상인
5	**willing**	□ 기꺼이 하는	□ 꺼리는
6	**pollution**	□ 오염	□ 염색
7	**retire**	□ 은퇴하다	□ 사임하다
8	**invaluable**	□ 무가치한	□ 매우 귀중한
9	**contaminate**	□ 의사소통하다	□ 오염시키다
10	**instance**	□ 사례	□ 사건

1	**일시적인**	□ temperate	□ temporary
2	**다양한**	□ various	□ vast
3	**비만**	□ obesity	□ obscurity
4	**목적, 의도**	□ purport	□ purpose
5	**탐험하다**	□ explore	□ explain
6	**농업**	□ farming	□ agriculture
7	**합리적인**	□ reasonable	□ responsible
8	**필수적인**	□ vital	□ virtual
9	**보호하다**	□ protect	□ proceed
10	**감정, 정서**	□ promotion	□ emotion

D 다음 빈칸에 알맞은 단어를 고르세요.

1 The water in the river was ______________ with chemicals.

ⓐ prevented ⓑ retired ⓒ occurred ⓓ contaminated

2 The mechanic ______________ the old machine with a new one.

ⓐ suspended ⓑ conducted ⓒ replaced ⓓ exposed

3 You might want to consider __________ work until you decide what you want to do.

ⓐ available ⓑ temporary ⓒ prompt ⓓ faint

day
22

» 631
660

오늘 학습할 필수 단어입니다. 눈으로 스캔하며 모르거나 헷갈리는 단어에 체크하세요.

- □ **application** 신청, 지원
- □ **personality** 성격, 인격
- □ **ground** 근거, 이유
- □ **modern** 현대의, 근대의
- □ **protestor** 시위자
- □ **rumor** 소문
- □ **establish** 설립하다
- □ **monster** 괴물
- □ **sheet** ① 얇은 천 ② (종이) 한 장
- □ **resource** 자원
- □ **pirate** 해적
- □ **concrete** 구체적인
- □ **quantity** 양
- □ **affair** (중요한) 일, 문제
- □ **pregnant** 임신한
- □ **permanent** 영원한, 영구적인
- □ **jewel** 보석
- □ **competition** 경쟁, 대회
- □ **reward** 보상(금)
- □ **frame** 틀, 뼈대

- □ **prestige** 명성
- □ **hardly** 거의 ~아니다[않다]
- □ **prohibit** 금지하다
- □ **rate** 비율
- □ **seize** 꽉 붙잡다
- □ **reap** 거두다, 수확하다
- □ **opportunity** 기회
- □ **remove** 제거하다, 없애다
- □ **obtain** 얻다, 인수하다
- □ **missing** 실종된, 없어진

631

application
[æpləkéiʃən]

명 **신청, 지원**

▸ Our loan **application** to the bank has been approved.
그 은행에 한 우리의 대출 신청이 승인되었다.

명 applicant 지원자

숙 aply for ~에 신청[지원]하다

632

personality
[pə̀:rsənǽləti]

명 **성격, 인격**

▸ This free **personality** test discovers your strengths and talents.
이 무료 성격 테스트는 여러분의 장점과 재능을 발견해줍니다.

633

ground
[graund]

명 **근거, 이유**
(= reason, cause)

▸ Their proposal was rejected on environmental **grounds**.
그들의 제안은 환경적인 이유로 거부되었다.

숙 on the grounds that ~라는 근거[이유]로

634

modern
[mάdərn]

형 **현대의, 근대의**

▸ The building was made using **modern** construction techniques.
그 건물은 현대 건축 기술을 사용하여 만들어졌다.

635

protestor
[proutéstər]

명 **시위자**

▸ A **protestor** was arrested for throwing a stone at the police. 한 시위자가 경찰에 돌을 던져 체포되었다.

명 동 protest 항의; 항의하다

636

rumor
[rú:mər]
명 소문

▸ Someone continued to spread an false **rumor** about her.
누군가 그녀에 대한 가짜 소문을 계속 퍼트렸다.

637

establish
[istǽbliʃ]
동 설립하다

▸ To **establish** our company, we had to fill out many forms and get permission from the city.
회사를 설립하기 위해서, 우리는 여러 양식을 작성하고 시로부터 허가를 받아야 했다.

명 establishment 설립

638

monster
[mánstər]
명 괴물

▸ The movie was about a huge green **monster** that many children liked.
그 영화는 많은 아이들이 좋아하는 거대한 녹색 괴물에 관한 것이었다.

639

sheet
[ʃi:t]
명 ① 얇은 천, 시트
② (종이 등의) 한 장

▸ I've put a clean **sheet** on my bed.
내 침대에 깨끗한 시트를 깔았다.

▸ The application form was a **sheet** of paper.
신청서는 한 장의 종이였다.

640

resource
[rí:sɔ:rs]
명 자원

▸ They live in a country rich in natural **resources**.
그들은 천연자원이 풍부한 나라에 산다.

비교 source 근원, 원천

어근 sour : '오르다'의 의미
soar 치솟다
surge 급등하다

641

pirate
[páirət]
명 **해적**

▸ The **pirates** found a treasure chest in the cave.
그 해적들이 동굴 속에서 보물 상자를 발견했다.

명 piracy 해적질

642

concrete
[kánkriːt]
형 **구체적인**

▸ Can you give me a **concrete** example of your explanation?
당신의 설명에 대한 구체적인 예를 하나 들어 주실래요?

643

quantity
[kwántəti]
명 **양**

▸ Police found a large **quantity** of drugs in his possessions.
경찰은 그의 소지품에서 다량의 마약을 발견했다.

비교 quality 질

644

affair
[əféər]
명 (중요한) **일, 문제**
(= matter)

▸ The president's handling of the **affair** has been criticized.
그 일에 대한 대통령의 처리는 비난받아 왔다.

645

pregnant
[prégnənt]
형 **임신한**

▸ The **pregnant** mother is so excited to give birth to her firstborn son.
임신한 어머니는 맏아들을 출산할 생각에 들떠 있다.

명 pregnancy 임신

접미사 -ant : 형용사형 접미사
pleasant 유쾌한
assistant 돕는

646

permanent
[pə́:rmənənt]

형 영원한, 영구적인

▸ The disease can cause **permanent** damage to the brain.
그 질병은 뇌에 영구적인 피해를 끼칠 수 있다.

647

jewel
[dʒú:əl]

명 보석(= gem)

▸ The actress was wearing a large gold necklace set with **jewels**.
여배우는 보석들이 박힌 커다란 금목걸이를 하고 있었다.

명 jewelry 보석류

648

competition
[kàmpətíʃən]

명 경쟁, 대회

▸ There's a lot of **competition** among car companies.
자동차 회사들 간에 경쟁이 심하다.

동 compete 경쟁하다

649

reward
[riwɔ́:rd]

명 보상(금)

▸ Parents often give their children **rewards** for passing exams.
부모들은 종종 그들의 자녀들에게 시험에 합격하는 것에 대한 보상을 준다.

비교 award (잘해서 받는) 상

650

frame
[freim]

명 틀, 뼈대

▸ She removed the picture from its **frame**.
그녀는 액자틀에서 그 그림을 빼냈다.

651

prestige

[prestíːʒ]

명 **명성**

▸ The opera singer has gained international **prestige**.

그 오페라 가수는 세계적인 명성을 얻었다.

형 prestigious 명성있는, 명문의

652

hardly

[háːrdli]

부 **거의 ~아니다[않다]**

▸ I **hardly** watch any television, except news and current affairs.

나는 뉴스와 시사 문제를 제외하고는 TV를 거의 보지 않는다.

653

prohibit

[prouhíbit]

동 (법으로) **금지하다**

(= proscribe)

▸ The city **prohibited** teenagers from riding a motorcycle.

그 도시는 십대들이 오토바이 타는 것을 금지했다.

명 prohibition 금지

형 prohibitive 금지하는; 아주 비싼

어근 **hibit** : '쥐고있다'의 의미

inhibit 금지하다

exhibit 전시하다

654

rate

[reit]

명 **비율**

▸ There is a high success **rate** for this surgery.

이 수술은 성공률이 높다.

655

seize

[siːz]

동 **꽉 붙잡다**(= grab)

▸ I was suddenly **seized** with a feeling of great anxiety and fear.

나는 갑자기 엄청난 불안감과 공포에 사로잡혔다.

656

reap

[riːp]

동 **거두다, 수확하다**
(= harvest)

▸ They are now **reaping** the rewards of their hard work.
그들은 지금 열심히 일한 것에 대한 보상을 거두고 있다.

657

opportunity

[àpərtjúːnəti]

명 **기회**(= chance)

▸ I got a rare **opportunity** to see the famous singer.
나는 그 유명한 가수를 만나는 드문 기회를 얻었다.

형 opportune 시기적절한

658

remove

[rimúːv]

동 **제거하다, 없애다**
(= get rid of)

▸ This detergent will **remove** even old stains from your clothes.
이 세제가 옷의 오래된 얼룩까지도 제거해줄 것이다.

명 removal 제거

659

obtain

[əbtéin]

동 **얻다, 인수하다**
(= get, gain, acquire)

어근 tain : '잡고있다'의 의미
contain 포함하다
abstain 절제하다

▸ You will need to **obtain** permission from your parents.
당신은 부모님의 허락을 받아야 할 것이다.

660

missing

[mísiŋ]

형 **실종된, 없어진**

▸ The couple was reported **missing** in the mountain last Saturday.
그 부부는 지난 토요일 산에서 실종된 것으로 보도되었다.

DAY 22 - TEST

A 다음 단어들을 영어는 한글로 한글은 영어로 쓰세요.

1 **personality** •
2 **modern** •
3 **resource** •
4 **competition** •
5 **pirate** •
6 **establish** •
7 **prohibit** •
8 **hardly** •
9 **remove** •
10 **missing** •

1 근거, 이유 •
2 소문 •
3 괴물 •
4 보상(금) •
5 영구적인 •
6 임신한 •
7 비율 •
8 기회 •
9 얻다 •
10 명성 •

C 다음 밑줄 친 단어와 같은 의미의 단어를 고르세요.

1 They talked about the role of television in modern politics.
ⓐ fundamental ⓑ innovative ⓒ complete ⓓ contemporary

2 There is no such thing as a permanent human being.
ⓐ genuine ⓑ eternal ⓒ essential ⓓ innocent

3 The company has now gained considerable prestige.
ⓐ strife ⓑ relation ⓒ renown ⓓ statue

4 She had the opportunity to go abroad and study.
ⓐ chance ⓑ award ⓒ change ⓓ reward

B 다음 중 올바른 뜻을 고르세요.

1	**personality**	□ 성격	□ 개인
2	**resource**	□ 원천	□ 자원
3	**sheet**	□ 한 장	□ 한 점
4	**concrete**	□ 구체적인	□ 추상적인
5	**permanent**	□ 낙관적인	□ 영구적인
6	**competition**	□ 경쟁	□ 경험
7	**frame**	□ 틀, 뼈대	□ 불꽃, 불길
8	**prestige**	□ 명성	□ 명예
9	**obtain**	□ 입수하다	□ 도달하다
10	**protestor**	□ 도전자	□ 시위자

1	**신청, 지원**	□ application	□ appliance
2	**근거, 이유**	□ ground	□ greed
3	**해적**	□ pirate	□ pioneer
4	**양**	□ quality	□ quantity
5	**일, 문제**	□ affair	□ affirm
6	**보상**	□ award	□ reward
7	**임신한**	□ pregnant	□ progressive
8	**거두다**	□ leap	□ reap
9	**기회**	□ opportunity	□ opponent
10	**보석**	□ jury	□ jewel

D 다음 빈칸에 알맞은 단어를 고르세요.

1 Motor vehicles are ______________ from driving in the town centre.

ⓐ violated ⓑ prohibited ⓒ launched ⓓ announced

2 What's a good way to ______________ stains from a silk dress?

ⓐ frustrate ⓑ disrupt ⓒ remove ⓓ harvest

3 The teacher must ______________ rules for the students to follow.

ⓐ amsue ⓑ assume ⓒ expand ⓓ establish

day
23

” 661
690

오늘 학습할 필수 단어입니다. 눈으로 스캔하며 모르거나 헷갈리는 단어에 체크하세요.

- □ **orphan** 고아
- □ **stitch** 바느질하다, 꿰메다
- □ **improve** 개선되다
- □ **struggle** 투쟁하다
- □ **relieve** 덜어주다, 완화하다
- □ **wheel** ① 바퀴 ② (자동차) 핸들
- □ **wound** 부상, 부상을 입히다
- □ **deal** 거래
- □ **object** 반대하다
- □ **purchase** 구매하다
- □ **overturn** 뒤집다, 뒤집히다
- □ **luggage** (여행용) 짐
- □ **force** 강요하다
- □ **goods** 상품
- □ **strategy** 전략
- □ **previous** 이전의
- □ **apt** ① 적절한 ② ~하기 쉬운
- □ **feather** 깃털
- □ **regular** 규칙적인, 정기적인
- □ **primitive** 원시의, 원시적인

- □ **productive** 생산적인
- □ **conclude** 결론을 내리다
- □ **scholar** 학자
- □ **fault** 잘못, 결점
- □ **chimney** 굴뚝
- □ **medieval** 중세의
- □ **burst** 터지다, 터뜨리다
- □ **exact** 정확한
- □ **triumph** 승리
- □ **subtract** 빼다

661

orphan
[ɔ́:rfən]
명 고아

▸ The childless couple decided to adopt an **orphan**.
아이가 없는 그 부부는 고아를 입양하기로 결정했다.

명 orphanage 고아원

662

stitch
[stitʃ]
동 바느질하다, 꿰메다
(= sew)

▸ The doctor at the emergency room **stitched** up the wound in his leg.
응급실의 의사는 그의 다리의 상처를 꿰맸다.

663

improve
[imprú:v]
동 개선되다, 향상시키다

▸ The best way to **improve** your English was to live in America.
당신의 영어실력을 향상시키는 가장 좋은 방법은 미국에서 사는 것이다.

명 improvement 개선, 향상

664

struggle
[strʌ́gl]
동 투쟁하다, 몸부림치다

▸ The country is **struggling** for freedom and independence.
그 나라는 자유와 독립을 위해 투쟁하고 있다.

형 struggling 분투하는, 몸부림치는

665

relieve
[rilí:v]
동 덜어주다, 완화하다

▸ We offer patients a gentle massage to help **relieve** pain.
우리는 환자들에게 통증을 덜어주기 위해 부드럽게 마사지를 한다.

명 relief 완화; 구호(품)

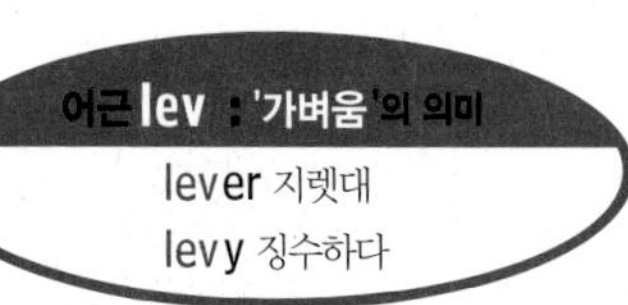

666

wheel
[hwi:l]
명 ① **바퀴**
② (자동차) **핸들**

▸ A **wheel** on the toy car was broken, leaving it unable to move.
장난감 자동차의 바퀴가 망가져 움직일 수가 없었다.

▸ Shall I take the **wheel**? 내가 운전할까?

Tip 자동차 운전대는 handle (X) → wheel (O)

667

wound
[wu:nd]
명 **부상**(= injury)
동 **부상을 입히다**

▸ The nurse cleaned and bandaged the **wound**.
간호사가 상처를 깨끗이 하고 붕대를 감았다.

▸ Several people were badly **wounded** in the explosion.
그 폭발로 몇 명이 중상을 입었다.

형 wounded 부상을 입은

668

deal
[di:l]
명 **거래**

▸ The company is negotiating a long-term **deal** with the government.
그 회사는 정부와 장기적인 거래를 협상을 하고 있다.

숙 deal with ~을 다루다, 처리하다

669

object
[ábdʒikt]
동 **반대하다**

▸ The player strongly **objected** to the terms of the contract.
그 선수는 계약 조건에 강하게 반대했다.

형 objective 객관적인

Tip 자 object to = 타 oppose

접두사 ob- : '반대로'의 의미
obscure 애매한
obstruct 막다

670

purchase
[pə́:rtʃəs]
동 **구매하다**

▸ She **purchased** her first car with the money.
그녀는 그 돈으로 첫 차를 구매했다.

671

overturn

[óuvərtːrn]

동 **뒤집다, 뒤집히다**

▸ Many people were drowned in the river when the boat **overturned**.

배가 뒤집혀 많은 사람들이 강물에 빠져 죽었다.

672

luggage

[lʌ́gidʒ]

명 (여행용) **짐**
(= baggage)

▸ Sir. I'll carry your **luggage** to your room.

손님. 제가 당신의 짐을 방까지 옮겨드리겠습니다.

673

force

[fɔːrs]

동 **강요하다**

▸ You can't **force** him to make a decision.

당신은 그에게 결정하도록 강요할 수 없다.

형 forceful 강력한

어근 fort : '힘'의 의미

enforce 시행하다, 집행하다
fortify 강화하다

674

goods

[gudz]

명 **상품, 제품**
(= merchandise, product)

▸ There is a 30% discount on all household **goods** until the end of the month.

월말까지 모든 생활용품에 대해 30% 할인이 있습니다.

Tip goods는 요즘 '굿즈'라는 외래어로 잘 쓰임

675

strategy

[strǽtədʒi]

명 **전략**

▸ The president held an emergency meeting to discuss military **strategy**.

대통령은 군사 전략을 논의하기 위해 긴급회의를 열었다.

형 strategic 전략적인

676

previous

[príːviəs]

형 **이전의**(= prior, former)

▸ I couldn't go to the party because of a **previous** engagement.
나는 선약 때문에 파티에 갈 수 없었다.

677

apt

[æpt]

형 ① **적절한**
② **~하기 쉬운**

▸ The punishment should be **apt** for the crime.
그 처벌은 그 범죄에 적합해야 한다.

▸ Don't wake the child; he's **apt** to become angry.
그 아이를 깨우지 마라. 걔는 화를 잘 낸다.

678

feather

[féðər]

명 **깃털**

▸ The bird's soft **feather** detached from its wing and slowly floated down to the ground.
새의 부드러운 깃털이 날개에서 떨어져 공중에 떠서 천천히 땅으로 내려왔다.

679

regular

[régjulər]

형 **규칙적인, 정기적인**
(↔ irregular 불규칙적인)

▸ The high school holds **regular** meetings with its students.
그 고등학교는 학생들과 정기적으로 모임을 갖는다.

680

primitive

[prímətiv]

형 **원시의, 원시적인**

▸ Early settlers had to cope with very **primitive** living conditions.
초기 정착자들은 매우 원시적인 생활환경에 대처해야 했다.

어근 **prim** : '처음'의 의미

primary 제일의, 주요한

681

productive
[prədʌ́ktiv]
형 생산적인

▸ Because the land is so **productive**, crops flourish there all year long.
땅이 매우 생산적이기 때문에, 그곳은 일년 내내 농작물이 번성한다.

동 produce 생산하다
명 production 생산

682

conclude
[kənklúːd]
동 결론을 내리다

▸ The jury concluded that the defendant was **guilty**.
배심원단은 피고가 무죄라는 결론을 내렸다.

명 conclusion 결론
형 conclusive 결정적인

어근 clud : '닫다'의 의미
include 포함하다
exclude 배제하다

683

scholar
[skάlər]
명 학자

▸ The professor is a renowned **scholar** of Chinese history.
그 교수는 중국 역사의 저명한 학자이다.

명 scholarship 장학금

684

fault
[fɔːlt]
명 잘못, 결점

▸ Don't blame me. It's not my **fault**.
날 탓하지 마. 그건 내 잘못이 아니야.

형 faulty 잘못이 있는

685

chimney
[tʃímni]
명 굴뚝

▸ We could see black smoke coming from the **chimney**.
우리는 그 굴뚝에서 검은 연기가 나오는 것을 볼 수 있었다.

686

medieval
[mìːdiíːvəl]
형 중세의

▶ Knights were some of the most important people during **medieval** times.
기사들은 중세 시대에 가장 중요한 사람들 중 일부였다.

Tip medieval은 middle '중간의'에서 유래된 단어임을 알면 쉽다.

687

burst
[bəːrst]
동 터지다, 터뜨리다

▶ We could hear bombs **bursting** in the distance.
우리는 멀리서 폭탄이 터지는 소리를 들을 수 있었다.

불규칙 burst - burst - burst

688

exact
[igzǽkt]
형 정확한 (= precise)

▶ The **exact** cause of the accident is still under investigation.
정확한 사고 원인은 아직 조사 중이다.

부 exactly 정확히, 틀림없이

689

triumph
[tráiəmf]
명 승리

▶ Winning the election was his personal great **triumph**.
선거에서 이긴 것은 그의 개인적인 위대한 승리였다.

형 triumphant 승리한

690

subtract
[səbtrǽkt]
동 빼다

▶ The children are learning how to add and **subtract**.
아이들이 덧셈과 뺄셈을 배우고 있다.

명 subtraction 공제

비교 add 더하다
mutiply 곱하다
divide 나누다

DAY 23 - TEST

A 다음 단어들을 영어는 한글로 한글은 영어로 쓰세요.

1 orphan •
2 improve •
3 relieve •
4 purchase •
5 luggage •
6 feather •
7 primitive •
8 previous •
9 scholar •
10 triumph •

1 바느질하다 •
2 투쟁하다 •
3 부상을 입히다 •
4 거래 •
5 강요하다 •
6 전략 •
7 정기적인 •
8 생산적인 •
9 잘못 •
10 빼다 •

C 다음 밑줄 친 단어와 같은 의미의 단어를 고르세요.

1 He purchased his first house with the money.
ⓐ bought ⓑ brought ⓒ pursued ⓓ provided

2 It took several months for his wounds to heal.
ⓐ symptoms ⓑ utensils ⓒ spots ⓓ injuries

3 The exact cause of the fire is still under investigation.
ⓐ liberal ⓑ accurate ⓒ strict ⓓ particular

4 The baseball game ended in triumph for the home team.
ⓐ invention ⓑ expenditure ⓒ victory ⓓ magnitude

B 다음 중 올바른 뜻을 고르세요.

1	**relieve**	□ 부활하다	□ 덜어주다
2	**wheel**	□ 바퀴	□ 탈 것
3	**apt**	□ 적당한	□ 화려한
4	**regular**	□ 지역의	□ 규칙적인
5	**strategy**	□ 전략	□ 속임수
6	**overturn**	□ 뒤집다	□ 바꾸다
7	**conclude**	□ 결론을 내리다	□ 정의를 내리다
8	**exact**	□ 힘든	□ 정확한
9	**triumph**	□ 승리	□ 승부
10	**object**	□ 찬성하다	□ 반대하다

1	**고아**	□ orphan	□ orbit
2	**(여행용) 짐**	□ luggage	□ lumber
3	**구매하다**	□ provide	□ purchase
4	**원시의**	□ primitive	□ premature
5	**이전의**	□ previous	□ preventive
6	**강요하다**	□ power	□ force
7	**학자**	□ scholar	□ expert
8	**중세의**	□ medieval	□ medium
9	**빼다**	□ attract	□ subtract
10	**개선하다**	□ approve	□ improve

D 다음 빈칸에 알맞은 단어를 고르세요.

1 This operation will significantly ________________ her chances of survival.

ⓐ approve ⓑ improve ⓒ announce ⓓ renounce

2 She ________________ her speech by thanking everyone who had helped her.

ⓐ concluded ⓑ captivated ⓒ included ⓓ complied

3 The government is developing innovative ________________ to help people without insurance get medical care.

ⓐ phenomena ⓑ practices ⓒ flaws ⓓ strategies

day
24

» 691
720

오늘 학습할 필수 단어입니다. 눈으로 스캔하며 모르거나 헷갈리는 단어에 체크하세요.

- □ **multiply** ① 곱하다 ② 증가시키다
- □ **unexpected** 예기치 않은
- □ **response** ① 반응 ② 대답
- □ **responsibility** 책임
- □ **candidate** 후보자, 지원자
- □ **draft** 초안
- □ **ultimate** 궁극적인, 최종적인
- □ **vote** 투표하다
- □ **settle** ① 정착하다 ② 해결하다
- □ **treat** ① 대하다 ② 치료하다
- □ **undergo** 겪다, 경험하다
- □ **apparent** 분명한
- □ **proper** 적절한, 알맞은
- □ **hesitate** 주저하다, 망설이다
- □ **explain** 설명하다
- □ **prosper** 번영[번창]하다
- □ **audience** 청중, 관객
- □ **profit** 수익
- □ **benefit** 이익
- □ **doubt** 의심하다, 의심

- □ **cheat** ① 속이다 ② 커닝하다
- □ **shelter** 피신(처)
- □ **document** 문서
- □ **degree** 정도; 학위
- □ **figure** 수치, 숫자
- □ **submit** 제출하다
- □ **sort** 종류, 유형
- □ **identify** (신원을) 알아보다
- □ **independent** 독립된
- □ **plenty** 풍부한 양, 충분함

691

multiply
[mʌ́ltiplài]

동 ① 곱하다
② (크게) 증가시키다

▸ If you **multiply** 7 by 2 you get 14.
7에 2를 곱하면 14가 된다.

▸ Smoking **multiplies** the risk of heart attacks and other health problems.
흡연은 심장마비와 다른 건강상의 문제를 증가시킨다.

692

unexpected
[ʌnikspéktid]

형 예기치 않은, 예상 밖의
(= sudden)

▸ The experiment produced some rather **unexpected** results.
그 실험은 몇 가지 다소 예상 밖의 결과를 낳았다.

693

response
[rispɑ́ns]

명 ① 반응 ② 대답

▸ The policy has received a positive **response** from people.
그 정책은 사람들로부터 긍정적인 반응을 얻어 왔다.

▸ He asked her but she made no **response**.
그가 그녀에게 물었지만 그녀는 대답하지 않았다.

동 respond 반응하다

어근 spond : '약속'의 의미
sponsor 후원자
correspond 일치하다

694

responsibility
[risp:nsəbíləti]

명 책임

▸ Parents must take **responsibility** if their children break something.
아이들이 무언가를 망가뜨리면 부모가 책임져야 한다.

형 responsible 책임이 있는

695

candidate
[kǽndidèit]

명 후보자, 지원자
(= applicant)

▸ She will stand as a **candidate** in the presidential elections.
그녀는 대통령 선거에서 후보로 나설 것이다.

696

draft
[dræft]
명 **초안**

► make a **draft** 초안을 작성하다

► Before I submit my final article, I need to edit my **draft**.
최종 기사를 제출하기 전에 초안을 수정해야 합니다.

697

ultimate
[ʌ́ltimət]
형 **궁극적인, 최종적인**
(= final, eventual)

► The manager is responsible for making the **ultimate** decision.
그 관리자가 최종적인 결정을 내릴 책임이 있다.

부 ultimately 궁극적으로

698

vote
[vout]
동 **투표하다**

► I'll **vote** for the candidate at the next election.
나는 다음 선거에서 그 후보에게 투표할 거야.

Tip vote는 '표, 투표'의 명사로도 쓰인다.

699

settle
[sétl]
동 ① **정착하다**
② **해결하다**

► The region was **settled** by Asian immigrants.
그 지역은 아시아계 이민자들에 의해 정착되었다.

► The two sides have **settled** the dispute.
양측은 분쟁을 해결했다.

명 settlement ① 정착 ② 해결

어근 set : '앉다'의 의미
reside 거주하다
situation 상황

700

treat
[triːt]
동 ① **대하다, 취급하다**
② **치료하다**(= cure)

► They **treated** me like one of their family.
그들은 나를 그들 가족의 일원처럼 대했다.

► I'm being **treated** for a skin disease.
난 피부병 치료를 받고 있다.

701

undergo
[ʌndərgóu]
동 겪다, 경험하다(= suffer)

▸ The patient will have to **undergo** an operation.
환자는 수술을 받아야 할 것이다.

불규칙 undergo - underwent - undergone

접두사 under- : '아래'의 접두사
underestimate 과소평가하다
underline 밑줄을 긋다

702

apparent
[əpǽrənt]
형 분명한
(= evident, obvious)

▸ It became **apparent** to everyone that Joel was a talented actor.
조엘이 재능 있는 배우라는 것이 모두에게 명백해졌다.

703

proper
[prápər]
형 적절한, 알맞은

▸ When riding a bicycle, you should wear the **proper** headgear.
자전거를 탈 때는 알맞은 헤드기어를 써야 한다.

704

hesitate
[hézətèit]
동 주저하다, 망설이다
(= hang back)

▸ If you need any help, don't **hesitate** to call me.
도움이 필요하면 주저하지 말고 나에게 전화하세요.

명 hesitation 주저, 망설임
형 hesitant 주저하는, 망설이는

705

explain
[ikspléin]
동 설명하다

▸ The teacher **explained** how to multiply numbers to the students.
선생님은 학생에게 숫자를 곱하는 방법을 설명했다.

명 explanation 설명

706

prosper
[práspər]
동 **번영[번창]하다**
(= thrive, flourish)

▸ If you repeat the basics faithfully, your business will **prosper**.
기본을 충실히 반복하면 사업이 번창할 것이다.

명 prosperity 번창
형 prosperous 번창하는

707

audience
[ɔ́ːdiəns]
명 **청중, 관객**

어근 aud : '듣다'의 의미
audible 들리는
audio 오디어, 음성

▸ The **audience** was clearly delighted with the performance.
관객이 그 공연에 분명히 즐거워했다.

708

profit
[práfit]
명 **수익**

▸ The company makes a big **profit** from selling excellent goods.
그 회사는 우수한 상품을 팔아 큰 수익을 낸다.

형 profitable 수익성 있는

709

benefit
[bénəfit]
명 **이익**

▸ The discovery of oil brought many **benefits** to the country.
석유의 발견은 그 나라에 많은 이익을 가져다 주었다.

형 beneficial 유익한, 이로운

710

doubt
[daut]
동 **의심하다**
명 **의심**

▸ Police began to **doubt** everything the suspect said.
경찰은 용의자가 말한 모든 것을 의심하기 시작했다.

▸ She has some serious **doubts** as to his honesty.
그녀는 그의 정직성에 대해 몇 가지 심각한 의심을 품고 있다.

형 doubtful 의심스러운

711

cheat

[tʃiːt]

동 ① 속이다
② 커닝하다

► She used her charm to **cheat** the businessman.
그녀는 자신의 매력을 이용해 그 사업가를 속였다.

► The teacher punished the student for **cheating**.
선생님은 커닝한 것에 대해 그 학생에게 벌을 주었다.

712

shelter

[ʃéltər]

명 피신(처)

► The wounded soldier hid in a **shelter** from the gunfire.
그 부상병은 포격을 피해 피신처에 숨었다.

713

document

[dákjumənt]

명 문서

► Many important historical **documents** became missing.
많은 중요한 역사 문서들이 분실되었다.

명 documentary 다큐멘터리, 기록물

714

degree

[digríː]

명 ① 정도 ② 학위

► The earthquake caused damage to the maximum **degree** in the city.
그 지진은 그 도시에 최대한의(너무 큰) 피해를 입혔다.

► She received a master's **degree** in biology from Harvard.
그녀는 하버드에서 생물학 석사 학위를 받았다.

숙 by degrees 조금씩, 점차

715

figure

[fígjər]

명 수치, 숫자

► We have been tracking the sales **figures** hour by hour.
우리는 매시간 판매 수치를 추적해 왔다.

어근 fig : '모양'의 의미

transfigure 변형하다
disfigure 외관을 손상시키다

716

submit
[səbmít]

동 **제출하다**

▸ Please **submit** your school records with your application.
지원서와 함께 당신의 학교 기록을 제출해 주세요.

명 submission 제출

717

sort
[sɔːrt]

명 **종류, 유형**

▸ My boyfriend likes all **sorts** of sports.
내 남자친구는 모든 종류의 스포츠를 다 좋아한다.

718

identify
[aidéntəfài]

동 (신원을) **확인하다, 알아보다**

▸ The witness was able to **identify** the robber from the picture.
그 목격자는 그 사진에서 강도를 알아볼 수 있었다.

명 identification 신원 확인, 식별

719

independent
[ìndipéndənt]

형 **독립된**
(↔ dependent 의존하는)

어근 pond : '매달리다'의 의미
append 덧붙이다
pendant 펜던트, 늘어뜨린 장식

▸ Many colonies were **independent** and free from British control.
많은 식민지들은 독립적이었고 영국의 통제로부터 자유로웠다.

명 independence 독립

부 independently 독립적으로

720

plenty
[plénti]

명 **풍부한 양, 충분함**

▸ There is **plenty** of evidence that he is guilty.
그가 유죄라는 충분한 증거가 있다.

형 plentiful 풍부한

DAY 24 - TEST

A 다음 단어들을 영어는 한글로 한글은 영어로 쓰세요.

1	multiply	•	1	예기치 못한	•
2	response	•	2	책임	•
3	candidate	•	3	궁극적인	•
4	undergo	•	4	정착하다	•
5	proper	•	5	대하다, 치료하다	•
6	hesitate	•	6	청중, 관객	•
7	apparent	•	7	설명하다	•
8	profit	•	8	의심	•
9	benefit	•	9	수치, 숫자	•
10	prosper	•	10	제출하다	•

C 다음 밑줄 친 단어와 같은 의미의 단어를 고르세요.

1 If you're going to walk long distances you need proper walking boots.
ⓐ suitable ⓑ actual ⓒ various ⓓ concrete

2 It soon became apparent that we had a major problem.
ⓐ unstable ⓑ obligatory ⓒ explicit ⓓ explosive

3 He said it is still not possible to predict the ultimate outcome.
ⓐ legal ⓑ final ⓒ previous ⓓ sturdy

4 They agreed to try and settle their dispute by negotiation.
ⓐ scatter ⓑ spoil ⓒ exhibit ⓓ solve

B 다음 중 올바른 뜻을 고르세요.

1	**responsibility**	□ 반응	□ 책임
2	**ultimate**	□ 국민적인	□ 궁극적인
3	**vote**	□ (작은) 배	□ 투표하다
4	**cheat**	□ 속이다	□ 쫓다
5	**apparent**	□ 명백한	□ 정직한
6	**document**	□ 문서	□ 조각
7	**figure**	□ 통계	□ 수치
8	**sort**	□ 종류	□ 소금
9	**plenty**	□ 풍부함	□ 부족함
10	**doubt**	□ 확신	□ 의심

1	**후보자**	□ candor	□ candidate
2	**초안**	□ draft	□ drawing
3	**번창하다**	□ proper	□ prosper
4	**주저하다**	□ hesitate	□ irritate
5	**피신처**	□ shelter	□ shelf
6	**정도**	□ degree	□ degrade
7	**제출하다**	□ admit	□ submit
8	**(신원을) 알아보다**	□ identify	□ notify
9	**독립된**	□ dependent	□ independent
10	**예기치 않은**	□ expected	□ unexpected

D 다음 빈칸에 알맞은 단어를 고르세요.

1 The company denied any _______________ for the damage to the accident.

ⓐ responsibility ⓑ hesitation ⓒ dimension ⓓ explanation

2 You must _______________ your application before 1 January.

ⓐ admit ⓑ commit ⓒ permit ⓓ submit

3 Even the smallest baby can _______________ its mother by her voice.

ⓐ collect ⓑ identify ⓒ inherit ⓓ classify

day 25

» 721
750

오늘 학습할 필수 단어입니다. 눈으로 스캔하며 모르거나 헷갈리는 단어에 체크하세요.

- □ **package** 소포
- □ **autograph** (유명인의) 사인
- □ **obvious** 분명한
- □ **license** 면허, 자격증
- □ **section** 부분, 부문
- □ **regret** 후회하다
- □ **depress** 우울하게 하다
- □ **crime** 범죄
- □ **except** ~을 제외하고
- □ **upset** 속상하게 하다
- □ **vacant** (방 · 좌석이) 비어있는
- □ **sufficient** 충분한
- □ **academic** 학업의, 학문의
- □ **international** 세계적인
- □ **export** 수출하다
- □ **attempt** 시도
- □ **civilization** 문명
- □ **remarkable** 놀랄만한
- □ **election** 선거
- □ **passenger** 승객

- □ **occupation** 직업
- □ **justice** 정의
- □ **afford** ~할 여유가 있다
- □ **sentence** ① 문장 ② (형의) 선고
- □ **contrary** 반대의
- □ **absolutely** 절대적으로
- □ **recycle** 재활용하다
- □ **ambitious** 야심 있는, 야망에 찬
- □ **increase** 증가하다
- □ **conscious** 의식이 있는

721

package
[pǽkidʒ]
명 **소포**

▸ It took several days for the **package** to arrive.
그 소포가 도착하는 데 며칠이 걸렸다.

동 pack (짐을) 싸다, 포장하다

722

autograph
[ɔ́ːtəgræ̀f]
명 (유명인의) **사인**

▸ I got the **autograph** of the famous baseball player.
나는 그 유명한 운동선수의 사인을 받았다.

참고 sign 명 신호 동 서명하다

어근 graph : '쓰다, 그리다'의 의미
graphic 생생한, 그림같은
biography 전기

723

obvious
[ɑ́bviəs]
형 **분명한**
(= evident, apparent)

▸ It is **obvious** that sweeping changes are needed in the legal system.
법체계에 전면적인 변화가 필요한 것은 분명하다.

명 obviousness 분명함

724

license
[láisəns]
명 **면허, 자격증**

▸ A driving **license** is needed if you want to drive freely on the road.
도로에서 자유롭게 운전하려면 운전 면허증이 필요하다.

725

section
[sékʃən]
명 **부분, 부문**
(= part, segment)

▸ Dad always reads the economy **section** of the newspaper.
아빠는 항상 신문의 경제면을 읽으신다.

726

regret

[rigrét]

동 **후회하다**

▸ I deeply **regret** having wasted precious time in the past.
나는 과거에 귀중한 시간을 낭비했던 것을 깊이 후회한다.

형 regretful 후회하는

727

depress

[diprés]

동 **우울하게 하다**

▸ The team's supporters got **depressed** from the bad news.
그 팀의 팬들은 안 좋은 소식에 우울해졌다.

명 depression 우울증

어근 press : '누르다'의 의미

impress 감명을 주다
compress 압축하다

728

crime

[kraim]

명 **범죄**

▸ commit a **crime** 범죄를 저지르다

▸ He insisted that he had not committed any **crime**.
그는 자신이 어떤 범죄도 저지르지 않았다고 주장했다.

명 criminal 범죄자

729

except

[iksépt]

전 **~을 제외하고**

▸ The gallery is open daily **except** Monday.
그 화랑은 월요일을 제외하고 매일 문을 연다.

730

upset

[ʌpset]

동 **속상하게 하다**

▸ It **upsets** him that he can do nothing to help her.
그가 그녀를 돕기 위해 아무것도 할 수 없다는 것이 그를 속상하게 한다.

731

vacant

[véikənt]

형 (방 · 좌석이) **비어있는**
(= unoccupied)

어근 vac : '빈'의 의미
vacuum 진공, 공백
vacation 휴가, 방학

▸ The position became **vacant** when Jake was promoted.
Jake가 승진하면서 그 자리는 공석이 되었다.

명 vacancy 결원, 공석

비교 empty (아무 것도 없이) 텅 빈

732

sufficient

[səfíʃənt]

형 **충분한**
(↔ deficient 부족한)

▸ This recipe should be **sufficient** for five people.
이 레시피는 다섯 명이 먹기에 충분할 것이다.

733

academic

[ækədémik]

형 **학업의, 학문의**

▸ The student received an award for excellent **academic** performance.
그 학생은 뛰어난 학업 성적으로 상을 받았다.

명 academy (특수 분야의) 학교

734

international

[ìntərnǽʃənəl]

형 **세계적인, 국제적인**
(= global)

▸ He was the CEO of a large **international** company.
그는 큰 국제 회사의 CEO(최고경영자)였다.

735

export

[ikspɔ́ːrt]

동 **수출하다**
(↔ import 수입하다)

▸ German cars are **exported** to many different countries.
독일 자동차는 많은 다른 나라들로 수출된다.

Tip export는 명사 '수출(품)'으로도 쓰임.

736

attempt

[ətémpt]

명 **시도**

동 **시도하다**(= try)

▸ The prisoner made several **attempts** to escape.
그 죄수는 탈옥을 여러 번 시도했다.

▸ He **attempted** suicide in the prison.
그는 감옥에서 자살을 시도했다.

737

civilization

[sìvəlizéiʃən]

명 **문명**

▸ I'm very interested in the ancient **civilizations** of Asia.
난 아시아의 고대 문명들에 대해서 아주 관심이 많다.

비교 culture 문화

어근 civ : '도시'의 의미

civil 시민의, 공손한
civilian 민간인의

738

remarkable

[rimɑ́:rkəbl]

형 **놀랄만한, 언급할만한**
(= outstanding, extraordinary)

▸ Because of his **remarkable** academic achievements, he received scholarship.
뛰어난 학업 성적으로 그는 장학금을 받았다.

명 동 remark 말(하다), 발언(하다)

739

election

[ilékʃən]

명 **선거**

▸ The presidential **election** will take place in March next year.
대통령 선거가 내년 3월에 열릴 것이다.

동 elect 선출하다

740

passenger

[pǽsindʒər]

명 **승객**

▸ All **passengers** must fasten their seat belts during the flight.
모든 승객들은 비행 중에 안전벨트를 매야 한다.

741

occupation

[àkjupéiʃən]

명 ① 직업 ② 점령

► Please fill in your name, age, and **occupation**.
이름, 나이, 직업을 기입해주세요.

비교 occupancy 점유

742

justice

[dʒʌ́stis]

명 정의

► The brave citizen gave an impressive speech about **justice**.
그 용감한 시민은 정의에 관한 인상적인 연설을 했다.

743

afford

[əfɔ́ːrd]

동 ~할 여유가 있다

► We can't **afford** to buy a new car.
우리는 새 차 살 여유가 없다.

형 affordable (가격이) 알맞은

744

sentence

[séntəns]

명 ① 문장 ② (형의) 선고

► In your essay, the final **sentence** is too long and complicated.
너의 에세이에서 마지막 문장이 너무 길고 복잡하다.

► He was given a three-year prison **sentence**.
그는 징역 3년을 선고받았다.

745

contrary

[kántreri]

형 반대의(= opposite)

► **Contrary** to his outgoing image, he is really a very shy man. 그의 외향적인 이미지와는 달리, 그는 정말 수줍음이 많은 남자입니다.

숙어 on the contrary (그와) 반대로

접두사 contra- : '반대'의 접두사

contrast 대조
contradict 반박하다(on)

746

absolutely
[æbsəlú:tli]
형 절대적으로

▸ The movie is based on an **absolutely** true story.
그 영화는 절대적으로 실화를 바탕으로 하고 있다.

747

recycle
[ri:sáikl]
동 재활용하다

▸ We need to **recycle** paper, plastic, and aluminium cans.
우리는 종이, 플라스틱, 알루미늄 캔을 재활용해야 한다.

명 recycling 재활용

748

ambitious
[æmbíʃəs]
형 야심 있는, 야망에 찬

▸ The **ambitious** politician made a grand plan about his future.
그 야심 많은 정치인은 자신의 미래에 대한 거창한 계획을 세웠다.

명 ambition 야망

어근 it : '가다'의 의미
exit 출구
circuit 회로, 순회

749

increase
[inkrí:s]
명 증가
동 증가하다
(↔decrease 감소하다)

▸ an **increase** in population 인구의 증가

▸ We need to **increase** production to meet demand.
우리는 수요를 충족시키기 위해 생산을 늘려야 합니다.

750

conscious
[kánʃəs]
형 ① 의식이 있는
② 의식하는

▸ The driver was not **conscious** when the ambulance arrived.
구급차가 도착했을 때 운전사는 의식이 없었다.

▸ Teenagers are very fashion-**conscious**, especially girls.
십대들은 패션에 아주 관심이 많은데 특히 여자애들이 그렇다.

DAY 25 - TEST

A 다음 단어들을 영어는 한글로 한글은 영어로 쓰세요.

1	obvious	1	소포
2	sufficient	2	(유명인의) 사인
3	vacant	3	면허
4	upset	4	승객
5	attempt	5	~할 여유가 있다
6	occupation	6	문장
7	justice	7	절대적으로
8	increase	8	야망이 있는
9	regret	9	부분, 부문
10	election	10	문명

C 다음 밑줄 친 단어와 같은 의미의 단어를 고르세요.

1 The obvious way of reducing pollution is to use cars less.

ⓐ logical ⓑ complex ⓒ evident ⓓ extinct

2 I was looking for an occupation which would allow me to travel.

ⓐ factor ⓑ job ⓒ feature ⓓ cost

3 He was the boss of a large international company.

ⓐ original ⓑ static ⓒ substantial ⓓ global

4 She failed her driving test on the first attempt but she succeeded on her second attempt.

ⓐ trial ⓑ term ⓒ clue ⓓ fund

B 다음 중 올바른 뜻을 고르세요.

1	**academic**	□ 학업의	□ 상업의
2	**depress**	□ 감소하다	□ 우울하게 하다
3	**upset**	□ 속상하게 하다	□ 덧붙이다
4	**crime**	□ 위반	□ 범죄
5	**export**	□ 수입하다	□ 수출하다
6	**ambitious**	□ 야망이 있는	□ 애매한
7	**attempt**	□ 시도	□ 시험
8	**package**	□ 소포	□ 우편
9	**contrary**	□ 주의하는	□ 반대의
10	**conscious**	□ 의식이 있는	□ 양심 있는

1	**후회하다**	□ regret	□ regard
2	**재활용하다**	□ recover	□ recyle
3	**직업**	□ occupation	□ occurrence
4	**~을 제외하고**	□ expect	□ except
5	**선거**	□ collection	□ election
6	**국제적인**	□ worldly	□ international
7	**놀랄만한**	□ remarkable	□ available
8	**문명**	□ culture	□ civilization
9	**우울하게 하다**	□ depress	□ impress
10	**비어 있는**	□ vast	□ vacant

D 다음 빈칸에 알맞은 단어를 고르세요.

1 The museum is open daily ______________ Monday.

ⓐ except ⓑ during ⓒ about ⓓ from

2 We couldn't ______________ to buy new coats for the children.

ⓐ increase ⓑ appoint ⓒ afford ⓓ depress

3 Because of my son's ______________ academic achievements, he has been awarded six scholarships.

ⓐ pragmatic ⓑ remarkable ⓒ elementary ⓓ fortunate

day 26

» 751
780

오늘 학습할 필수 단어입니다. 눈으로 스캔하며 모르거나 헷갈리는 단어에 체크하세요.

- □ **analyze** 분석하다
- □ **party** ① 파티 ② 정당
- □ **order** ① 주문하다 ② 명령하다
- □ **realistic** 현실적인
- □ **unrealistic** 비현실적인
- □ **affection** 애정
- □ **supply** 공급[제공]하다, 공급
- □ **consider** 고려하다
- □ **bully** 불량배, 괴롭히는 사람
- □ **publicize** 널리 알리다, 공표하다
- □ **pursue** 뒤쫓다, 추적하다
- □ **instrument** ① 기구 ② 악기
- □ **surface** 표면
- □ **thread** 실
- □ **string** 줄, 끈
- □ **translate** 번역하다
- □ **cause** ~하게 하다
- □ **chase** 뒤쫓다, 추적하다
- □ **conflict** 충돌, 갈등
- □ **radical** 근본적인, 급진적인

- □ **issue** 문제, 이슈, 발행[발표]하다
- □ **destroy** 파괴하다
- □ **attract** (마음을) 끌다
- □ **imitate** 흉내내다, 모방하다
- □ **faint** 희미한, 기절하다
- □ **monitor** 감시하다
- □ **rule** 지배[통치]하다
- □ **population** 인구
- □ **suspicious** 의심스러운
- □ **consequently** 그러므로, 따라서

751

analyze
[ǽnəlàiz]

동 **분석하다**

▸ The scientist **analyzed** the collected date.
그 과학자는 그 수집된 자료들을 분석했다.

명 analysis 분석

752

party
[pá:rti]

명 **① 파티 ② 정당**

▸ I'm having a birthday **party** this Saturday.
나 이번 주 토요일 생일파티 열거야.

▸ The politician has led the **party** for over twenty years.
그 정치인은 20년 이상 그 당을 이끌어 왔다.

753

order
[ɔ́:rdər]

동 **① 주문하다**
② 명령하다

▸ We **ordered** some spaghetti and a mixed salad.
우리는 파스타와 믹스 샐러드를 주문했다.

▸ The police officer **ordered** him to drop his weapon.
경찰관은 그에게 무기를 내려놓으라고 명령했다.

어근 order : '순서'의 의미

ordinary 보통의, 평범한
ordan 운명지우다

754

realistic
[rì:əlístik]

형 **현실적인**

▸ I don't think the team has a **realistic** chance of winning.
나는 그 팀이 현실적으로 이길 가능성이 있다고 생각하지 않는다.

명 reality 현실

755

unrealistic
[ʌnri:əlístik]

형 **비현실적인**

▸ Some parents have **unrealistic** expectations of their children.
어떤 부모들은 자녀들에게 비현실적인 기대를 한다.

756

affection

[əfékʃən]

명 **애정**

▸ She gazed at her children with **affection**.

그녀는 애정 어린 눈길로 그녀의 아이들을 가만히 바라봤다.

형 affectionate 다정한, 애정 어린

757

supply

[səplái]

동 **공급[제공]하다** (= provide)

명 **공급**

▸ The river **supplies** the whole city with water.

그 강은 도시 전체에 물을 공급한다.

▸ **Supply** and demand determine the price of goods in the market.

수요와 공급이 시장에서 제품의 가격을 결정한다.

명 supplier 공급자, 공급 회사

758

consider

[kənsídər]

동 **고려하다**

▸ Don't make any decisions before you've **considered** the present situation.

현재 상황을 고려하기 전에 어떤 결정도 내리지 마세요.

형 considerate 사려 깊은

형 considerable 상당한

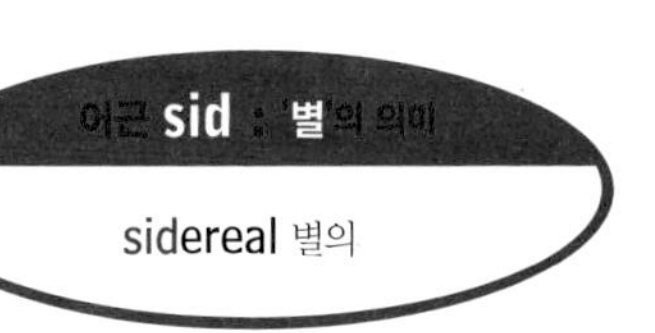

* 옛날 사람들은 밤에 별을 보고 생각에 잠기곤했답니다.

759

bully

[búli]

명 **불량배, 괴롭히는 사람**

▸ The student took courage to stand up to a **bully**.

그 학생은 용기를 내어 불량배에게 맞섰다.

760

publicize

[pʌ́bləsàiz]

동 **널리 알리다, 공표하다** (= pronounce)

▸ His good deed was widely **publicized** throughout the media.

그의 선행은 언론을 통해 널리 알려졌다.

명 publicity 대중의 관심

761

pursue
[pərsúː]
동 **뒤쫓다, 추적하다**

▸ He decided to leave the company to **pursue** his own business interests.
그는 자신의 사업 이익을 추구하기 위해 회사를 떠나기로 결심했다.

명 pursuit 추적, 추구

762

instrument
[ínstrəmənt]
명 **① 기구 ② 악기**

▸ The **instrument** was made to measure the Earth's atmosphere.
그 기구는 지구의 대기를 측정하기 위해 만들어졌다.

▸ A piano is my favorite musical **instrument**.
피아노는 내가 가장 좋아하는 악기다.

763

surface
[sə́ːrfis]
명 **표면**

▸ The **surface** of the marble is smooth and hard.
대리석의 표면은 부드럽고 단단하다.

접두사 sur- : '위'의 의미
survive 생존하다

764

thread
[θred]
명 **실**

▸ The tailor coiled the **thread** around his hand.
그 재단사는 손에 실을 감았다.

765

string
[striŋ]
명 **줄, 끈**

▸ I need a piece of **string** to tie this package.
이 소포를 묶을 끈이 필요하다.

766

translate
[trænsléit]
동 번역하다

▸ The book was **translated** from its original language into several languages.
그 책은 본래의 언어에서 몇 개 국어로 번역되었다.

명 translation 번역
명 translator 번역가

767

cause
[kɔːz]
명 원인
동 ~하게 하다

▸ the **cause** of the disease 그 병의 원인

▸ The serious injury **caused** him to lose the game.
심각한 부상으로 인해 그는 경기에서 졌다.

768

chase
[tʃeis]
동 뒤쫓다, 추적하다
(= pursue)

▸ The police car was going so fast, it must have been **chasing** someone.
경찰차가 너무 빨리 달리고 있었다. 누군가를 뒤쫓고 있었던 게 틀림없었다.

769

conflict
[kənflíkt]
명 충돌, 갈등

▸ Until recently, there was violent **conflict** between the two races in the region.
최근까지 그 지역에서 두 인종간의 무력 충돌이 있었다.

770

radical
[rǽdikəl]
형 근본적인, 급진적인
(= fundamental)

▸ The new management will make **radical** changes in the company. 새 경영진은 회사 내에 급진적인 변화를 일으킬 것이다.

어근 rad : '뿌리'의 의미
radish (야채) 무
eradicate 근절하다

771

issue

[íʃuː]

명 **문제, 이슈**

동 **발행하다, 발표하다**

▸ Politicians failed to reach an agreement on the **issue**.
정치인들은 그 문제에 대한 합의에 도달하지 못했다.

▸ The company plans to raise money by **issuing** more stocks.
그 회사는 더 많은 주식을 발행함으로써 자금을 모을 계획이다.

772

destroy

[distrɔ́i]

동 **파괴하다**

▸ The hurricane **destroyed** all the houses near the shore.
허리케인이 해안 근처의 모든 집들을 파괴했다.

명 destruction 파괴

형 destructive 파괴적인

어근 **stere** : '퍼뜨리다'의 의미

construct 건설하다

instruct 가르치다

773

attract

[ətrǽkt]

동 (마음을) **끌다**

▸ The story has **attracted** a lot of interest from the media.
그 이야기는 언론의 많은 관심을 끌어왔다.

명 attraction 매력

형 attractive 매력적인

774

imitate

[ímətèit]

동 **흉내내다, 모방하다**

▸ My four-year-old son always **imitates** his older brother.
내 네 살짜리 아들은 항상 형을 흉내 낸다.

명 imitation 모방

775

faint

[feint]

형 **희미한**

동 **기절하다**

▸ The lamp hanging from the ceiling gave off a **faint** glow.
천장에 매달린 램프가 희미한 불빛을 냈다.

▸ She **fainted** instantly at the news of her son's air crash.
그녀는 아들의 비행기 추락사고 소식을 듣고 곧바로 기절했다.

비교 feint 속임수; 속이다

776

monitor
[mánətər]
동 감시하다

어근 mons : '보여주다'의 의미
monster 괴물
demonstration 시위

▸ The company hired an accountant to **monitor** cash flow.
그 회사는 현금 흐름을 추적 관찰하기 위해 회계사를 고용했다.

Tip monitor는 명사로 '(컴퓨터) 화면, 모니터'

day 26

777

rule
[ru:l]
동 지배[통치]하다

▸ The queen **ruled** the kingdom, taking control of everything in the land.
여왕은 그 땅의 모든 것을 장악하면서 왕국을 통치했다.

명 ruler 지배자; 통치자

778

population
[papjuléiʃən]
명 인구

▸ The city's **population** has increased greatly for the last 10 years.
그 도시의 인구는 지난 10년 동안 크게 증가했다.

비교 popularity 인기

779

suspicious
[səspíʃəs]
형 의심스러운

▸ I was becoming increasingly **suspicious** of his motives.
나는 그의 동기가 점점 의심스러워졌다.

명 suspicion 의심

780

consequently
[kánsəkwèntli]
부 그러므로, 그러니

▸ They were unable to get funding and **therefore** had to abandon the project.
그들은 자금을 조달할 수 없었기 때문에 프로젝트를 포기해야 했다.

DAY 26 - TEST

A 다음 단어들을 영어는 한글로 한글은 영어로 쓰세요.

1	analyze	1	줄, 끈
2	translate	2	뒤쫓다
3	conflict	3	근본적인
4	publicize	4	표면
5	unrealistic	5	기구, 악기
6	imitate	6	현실적인
7	destroy	7	주문하다
8	attract	8	지배[통치]하다
9	suspicious	9	인구
10	supply	10	그러므로

C 다음 밑줄 친 단어와 같은 의미의 단어를 고르세요.

1 A healthy diet should <u>supply</u> all necessary vitamins and minerals.

ⓐ restore ⓑ provide ⓒ promote ⓓ locate

2 There are <u>radical</u> differences between the two organizations.

ⓐ rare ⓑ slight ⓒ abundant ⓓ fundamental

3 She had a deep <u>affection</u> for her aunt.

ⓐ hatred ⓑ fake ⓒ love ⓓ influence

4 There was a lot of <u>conflict</u> between him and his father.

ⓐ dispute ⓑ attraction ⓒ cause ⓓ destruction

B 다음 중 올바른 뜻을 고르세요.

1	**unrealistic**	□ 현실적인	□ 비현실적인
2	**affection**	□ 애정	□ 영향
3	**consider**	□ 고려하다	□ 입증하다
4	**destroy**	□ 파괴하다	□ 감소하다
5	**radical**	□ 본능적인	□ 근본적인
6	**pursue**	□ 추적하다	□ 경쟁하다
7	**monitor**	□ 추구하다	□ 감시하다
8	**party**	□ 정당	□ 정치
9	**faint**	□ 분명한	□ 희미한
10	**chase**	□ 추적하다	□ 조사하다

1	**분석하다**	□ analyze	□ paralyze
2	**원인**	□ cause	□ caution
3	**충돌, 갈등**	□ afflict	□ conflict
4	**공급**	□ apply	□ supply
5	**불량배**	□ bully	□ bullet
6	**표면**	□ surface	□ survey
7	**발행하다**	□ ensue	□ issue
8	**실**	□ thread	□ shred
9	**의심스러운**	□ sustained	□ suspicious
10	**번역하다**	□ translate	□ transport

D 다음 빈칸에 알맞은 단어를 고르세요.

1 The heavy snow have ______________ the city's transportation system.

ⓐ convened ⓑ analyzed ⓒ vibrated ⓓ paralyzed

2 The writer ______________ the English book into Korean.

ⓐ translated ⓑ transported ⓒ transferred ⓓ transmitted

3 Researchers are busy ______________ the results of the study.

ⓐ containing ⓑ perceiving ⓒ analyzing ⓓ achieving

day
27

» 781
810

오늘 학습할 필수 단어입니다. 눈으로 스캔하며 모르거나 헷갈리는 단어에 체크하세요.

- □ **flesh** ① 살 ② (식물) 과육
- □ **explode** 폭발하다
- □ **contribute** 기여[기부]하다
- □ **structure** 구조, 구조물
- □ **familiar** 친숙한
- □ **addiction** 중독
- □ **ingredient** 재료, 성분
- □ **ban** 금지하다
- □ **efficient** 효율적인
- □ **direction** ① 방향, 쪽 ② 지시
- □ **conquer** 정복하다
- □ **beneficial** 이로운, 유익한
- □ **escape** 도망치다
- □ **burden** 짐, 부담
- □ **throughout** ~동안 내내
- □ **fragile** 깨지기 쉬운
- □ **determine** 결정하다
- □ **experience** 경험
- □ **adjust** ~에 맞추다, 조정하다
- □ **remind** 상기시키다

- □ **clumsy** 서투른
- □ **impact** 영향, 충격
- □ **government** 정부
- □ **select** 선택하다, 선정하다
- □ **fascinate** 매혹하다
- □ **crucial** 중대한
- □ **favorable** 호의적인
- □ **guilty** ① 유죄인 ② 죄책감이 있는
- □ **innovate** 혁신하다
- □ **interfere** 간섭하다

781

flesh
[fleʃ]
명 ① 살 ② (식물) 과육

▸ The thorn went deep into the **flesh** of my hand.
가시가 내 손의 살 속으로 깊이 들어갔다.

비교 fresh 신선한
flash 번쩍임, 섬광

Tip flesh는 bone 뼈 의 상대적인 의미이고
meat 고기 는 vegetable 야채 의 상대적인 의미이다.

782

explode
[iksplóud]
동 폭발하다

▸ A bomb **exploded** at one of the capital's busiest subway stations.
수도에서 가장 분주한 지하철역들 중 한 곳에서 폭탄이 폭발했다.

명 explosion 폭발

형 explosive 폭발적인

783

contribute
[kəntríbju:t]
동 기여하다, 기부하다
(= donate)

▸ She **contributed** 1,000 dollars to the charity.
그녀는 1,000달러를 그 자선단체에 기부했다.

명 contribution 기여

784

structure
[strʌ́ktʃər]
명 구조, 구조물

▸ Many company organizations have a pyramid **structure**.
많은 회사 조직들을 피라미드 구조를 갖고 있다.

형 structural 구조상의, 구조적인

785

familiar
[fəmíljər]
형 친숙한

▸ He saw the **familiar** face of his best friend in the crowd.
그는 군중 속에서 가장 친한 친구의 낯익은 얼굴을 보았다.

숙어 be familiar with ~을 잘 알다

Tip familiar는 family 가족 에서 생겨난 어휘

786

addiction
[ədíkʃən]
명 중독

▸ Experts fear the game could lead to gambling **addiction**.
전문가들은 그 게임이 도박 중독으로 이어질 수 있다고 우려한다.

명 addict 중독자

숙어 be addicted to ~에 중독되다

어근 dict : '말하다'의 의미
dictionary 사전
predict 예언하다

day 27

787

ingredient
[ingríːdiənt]
명 재료, 성분
(= component, element)

▸ My mom uses only fresh **ingredients** in her cooking.
우리 엄마는 요리할 때 신선한 재료만 사용하신다.

788

ban
[bæn]
동 금지하다

▸ The city has **banned** smoking in all public buildings.
시는 모든 공공건물 내 흡연을 금지했다.

789

efficient
[ifíʃənt]
형 효율적인

▸ The bicycle is a cheap and **efficient** means of transportation.
자전거는 싸고 효율적인 교통수단이다.

비교 effective 효과적인

790

direction
[dirékʃən]
명 ① 방향, 쪽
② 지시, 지휘

▸ My friend has a good sense of **direction**.
내 친구는 방향 감각이 좋다.

▸ Under his **direction**, the company doubled in size.
그의 지휘 하에 그 회사의 규모는 두 배로 커졌다.

명 director 이사; (영화) 감독

791

conquer
[káŋkər]
동 정복하다

▸ Many cities in Europe was **conquered** by the ancient Romans.
유럽의 많은 도시들이 고대 로마인들에게 정복당했다.

명 conqueror 정복자

792

beneficial
[bènəfíʃəl]
형 이로운, 유익한

▸ Regular exercise will be **beneficial** to your health.
규칙적인 운동은 당신의 건강에 이로울 것입니다.

명 benefit 혜택, 이익

접두사 bene- : '좋은'의 접두사
benediction 축복
benign 온화한

793

escape
[iskéip]
명 탈출
동 도망치다

▸ a narrow **escape** 가까스로의 탈출

▸ They managed to **escape** from the burning building.
그들은 불타는 건물에서 가까스로 탈출했다.

794

burden
[bə́:rdn]
명 짐, 부담

▸ The **burden** of taxation has risen recently.
세금 부담이 최근 증가했다.

형 burdensome 부담스러운, 힘든

795

throughout
[θru:áut]
부 ~동안 내내

▸ He was faithful to his wife **throughout** their 30-year marriage.
그는 결혼 30년 내내 아내에게 충실했다.

비교 through ~을 통하여

796

fragile
[frǽdʒəl]

형 깨지기 쉬운

어근 frag : '깨다'의 의미

fraction 분수
infringe 침해하다

▸ The items in the box are **fragile**, so handle them with care.
상자 안에 있는 물건들은 깨지기 쉬우니 조심히 다루세요.

명 fragility 깨지기 쉬움

day 27

797

determine
[ditə́ːrmin]

동 결정하다(= decide)

▸ Your health is **determined** by what you eat.
당신의 건강은 무엇을 먹느냐에 따라 결정된다.

명 determination 결정, 결심

798

experience
[ikspíəriəns]

명 경험

▸ He had no previous **experience** of managing a farm.
그는 전에 농장을 경영해 본 경험이 없었다.

형 experienced 경험 있는

799

adjust
[ədʒʌ́st]

동 ~에 맞추다, 조정하다

▸ It took a few seconds for my eyes to **adjust** to the darkness.
내 눈이 어둠에 적응하는 데 몇 초가 걸렸다.

800

remind
[rimáind]

동 (다시) 생각나게 하다, 상기시키다(= recall)

▸ That song always **reminds** me of the first date with her.
그 노래는 항상 그녀와의 첫 데이트를 생각나게 한다.

명 reminder 상기시키는 것

801

clumsy
[klʌ́mzi]
형 서투른

▶ I was always extremely **clumsy** when it comes to sports.
스포츠에 관한 한 나는 항상 매우 서툴렀다.

802

impact
[ímpækt]
명 영향, 충격
(= effect, influence)

▶ The stress of his job is having a negative **impact** on his health.
일에 대한 스트레스는 그의 건강에 부정적인 영향을 미치고 있다.

803

government
[gʌ́vərnmənt]
명 정부

▶ The role of democratic **government** in developing countries is very important.
개발도상국에서 민주 정부의 역할은 매우 중요하다.

동 govern 통치하다

명 governor 주지사

804

select
[silékt]
동 선택하다, 선정하다
(= pick, choose)

▶ The coach will **select** a few good players to join the soccer team.
코치는 축구팀에 합류할 몇 명의 좋은 선수들을 선발할 것이다.

명 selection 선택, 선정

어근 lect : '고르다'의 의미
elect 선출하다
collect 수집하다

805

fascinate
[fǽsənèit]
동 매혹하다(= charm)

▶ The teacher **fascinated** the children with her funny behavior.
선생님은 그녀의 재미있는 행동으로 아이들을 매료시켰다.

명 fascination 매혹

806

crucial
[krúːʃəl]
형 **중대한, 결정적인**
(= significant)

▸ He played a **crucial** role in the soccer team.
그는 그 축구팀에서 중대한 역할을 했다.

부 crucially 결정적으로

807

favorable
[féivərəbl]
형 **호의적인**

▸ The movie received generally **favorable** response of the audience.
그 영화는 관객들의 대체적인 호응을 얻었다.

명 favor 호의, 친절

808

guilty
[gílti]
형 **① 유죄인**
② 죄책감이 있는

▸ The jury found him **guilty** of murder.
배심원단은 그가 살인에 대해 유죄라고 선고했다.

▸ I feel **guilty** for not doing more to help him.
나는 그를 더 도와주지 않은 것에 대해 죄책감을 느낀다.

명 guilt 죄책감

809

innovate
[ínəvèit]
동 **혁신하다**

▸ The company has successfully **innovated** new products and services.
그 회사는 신제품과 서비스를 성공적으로 혁신했다.

명 innovation 혁신

어근 nov : '새로운'의 의미
novel 새로운, 진기한
renovate 수리하다, 다시 새롭게하다

810

interfere
[ìntərfíər]
동 **간섭하다**

▸ It's not the church's job to **interfere** in politics.
정치에 간섭하는 것은 교회가 할 일이 아니다.

명 interference 간섭

DAY 27 - TEST

A 다음 단어들을 영어는 한글로 한글은 영어로 쓰세요.

1 **explode** •
2 **considerable** •
3 **ingredient** •
4 **clumsy** •
5 **efficient** •
6 **impact** •
7 **guilty** •
8 **crucial** •
9 **favorable** •
10 **interfere** •

1 깨지기 쉬운 •
2 중독 •
3 상기시키다 •
4 방향 •
5 도망치다 •
6 정부 •
7 매혹하다 •
8 친숙한 •
9 짐, 부담 •
10 혁신하다 •

C 다음 밑줄 친 단어와 같은 의미의 단어를 고르세요.

1 The government has <u>banned</u> smoking in all public buildings.
ⓐ spilled ⓑ glowed ⓒ existed ⓓ forbade

2 A <u>considerable</u> amount of time and effort has gone into this exhibition.
ⓐ substantial ⓑ mere ⓒ expensive ⓓ thoughtful

3 The rich man <u>contributed</u> 10,000 dollars to the charity.
ⓐ measured ⓑ surrounded ⓒ donated ⓓ exploded

4 The anti-smoking campaign had made an <u>impact</u> on young people.
ⓐ burden ⓑ influence ⓒ ingredient ⓓ direction

B 다음 중 올바른 뜻을 고르세요.

1	**considerable**	□ 상당한	□ 사려 깊은
2	**conquer**	□ 정복하다	□ 속이다
3	**determine**	□ 결정하다	□ 인정하다
4	**experience**	□ 탐험	□ 경험
5	**clumsy**	□ 능숙한	□ 서투른
6	**government**	□ 정부	□ 정책
7	**fascinate**	□ 매혹시키다	□ 감동시키다
8	**crucial**	□ 중대한	□ 사소한
9	**innovate**	□ 혁신하다	□ 침입하다
10	**fragile**	□ 튼튼한	□ 깨지기 쉬운

1	**~동안 내내**	□ through	□ throughout
2	**상기시키다**	□ remind	□ remember
3	**효율적인**	□ effective	□ efficient
4	**짐, 부담**	□ ban	□ burden
5	**~에 맞추다**	□ adjust	□ adopt
6	**충격, 영향**	□ impact	□ compact
7	**선택하다**	□ collect	□ select
8	**유죄인**	□ guilty	□ innocent
9	**간섭하다**	□ interfere	□ interrupt
10	**재료, 성분**	□ composition	□ ingredient

D 다음 빈칸에 알맞은 단어를 고르세요.

1 We could reduce our costs by developing a more ______________ distribution network.

ⓐ efficient ⓑ conscious ⓒ relevant ⓓ influential

2 Regular exercise has many ______________ health effects.

ⓐ familiar ⓑ beneficial ⓒ clumsy ⓓ fragile

3 ______________ in other people's relationships is always a mistake.

ⓐ Deceiving ⓑ Analyzing ⓒ Adopting ⓓ Interfering

day
28

» 811
840

오늘 학습할 필수 단어입니다. 눈으로 스캔하며 모르거나 헷갈리는 단어에 체크하세요.

- □ **hatch** (알을) 품다, 부화하다
- □ **fake** 가짜의, 거짓된
- □ **eventually** 결국, 마침내
- □ **curiosity** 호기심
- □ **arrow** 화살
- □ **instead** 대신에
- □ **ambiguous** 애매한, 모호한
- □ **flaw** 결함, 결점
- □ **budget** 예산
- □ **extinguish** (불을) 끄다
- □ **crash** (충돌) 사고
- □ **survive** 생존하다
- □ **diplomat** 외교관
- □ **hostile** 적대적인
- □ **combat** 싸우다, 대처하다
- □ **inventive** 창의[독창]적인
- □ **resource** 자원
- □ **height** 높이
- □ **contemporary** 동시대의
- □ **aspect** 측면

- □ **despair** 절망
- □ **bias** 편견
- □ **method** 방법
- □ **gradual** 점진적인, 점차적인
- □ **consult** 상담받다
- □ **endeavor** 노력, 시도
- □ **adolescent** 청소년
- □ **conserve** 아껴 쓰다, 보호하다
- □ **editor** 편집자
- □ **fragrance** 향기, 향수

811

hatch
[hætʃ]
동 (알을) **품다, 부화하다**

▸ The eggs **hatch** in the nest after a week or ten days.
둥지에 있는 그 알들은 일주일이나 열흘 후에 부화한다.

812

fake
[feik]
형 **가짜의, 거짓된**

▸ The foreigner was arrested for possessing a **fake** passport.
그 외국인은 가짜 여권을 갖고 있는 혐의로 체포되었다.

813

eventually
[ivéntʃuəli]
부 **결국, 마침내**
(= finally, at last)

▸ Keep trying and you'll find the best way **eventually**.
계속 노력하면 결국 가장 좋은 방법을 찾을 수 있을 거야.

형 eventual 궁극[최종]적인

814

curiosity
[kjùəriásəti]
명 **호기심**

▸ The news aroused a lot of **curiosity** among local people.
그 소식은 지역 사람들 사이에서 많은 호기심을 불러일으켰다.

형 curious 호기심 있는

어근 cur : '보살핌, 주의'의 의미
care 보살피다 cure 치료하다
secure 안전한

815

arrow
[ǽrou]
명 **화살**

▸ Warriors armed with bows, **arrows** and spears have invaded the village.
활과 화살과 창으로 무장한 전사들이 그들의 마을을 침략했다.

816

instead

[instéd]

부 **대신에**

▸ There's no coffee - would you like a cup of tea **instead**?
커피가 없어요. 대신 차 한 잔 드실래요?

전 instead of ~대신에

817

ambiguous

[æmbígjuəs]

형 **애매한, 모호한**
(= obscure, unclear)

▸ I was confused by the **ambiguous** wording of the message.
나는 그 메시지의 애매한 문구로 인해 혼란스러웠다.

명 ambiguity 애매함

818

flaw

[flɔː]

명 **결함, 결점**

▸ I found a few **flaws** in your argument.
내가 당신의 주장에 몇 가지 결점들을 발견했다.

형 flawless 결함 없는

819

budget

[bʌ́dʒit]

명 **예산**

▸ The government had to raise taxes to balance the **budget**.
정부는 예산의 균형을 맞추기 위해 세금을 올려야 했다.

820

extinguish

[ikstíŋgwiʃ]

동 (불을) **끄다, 소화하다**
(= put out)

▸ It took six hours for many firemen to **extinguish** the fire.
많은 소방관들이 불을 끄는 데 6시간이 걸렸다.

명 extinguisher 소화기

비교 distinguish 구별하다
extinct 멸종한; 시화산의
distinct 다른, 뚜렷한

821

crash
[kræʃ]
명 (충돌) **사고**

▸ Investigators are trying to determine the cause of the **crash**.
조사관들은 추락의 원인을 밝히기 위해 노력하고 있다.

Tip clash는 주로 비유적인 '대립, 충돌'의 의미이다.

822

survive
[sərváiv]
동 (~에서) **살아나다, 생존하다**

▸ These plants can **survive** in very cold conditions.
이 식물들은 아주 추운 환경에서 생존할 수 있다.

명 survival 생존

823

diplomat
[dípləmæt]
명 **외교관**

▸ The President will meet with foreign **diplomats** next week.
대통령은 다음 주 외국의 외교관들과 만날 것이다.

형 diplomatic 외교의

824

hostile
[hástail]
형 **적대적인**(= unfriendly)

▸ The politician faced **hostile** crowds when visiting the region.
그 정치인은 그 지역을 방문할 때 적대적인 군중들에 직면했다.

명 hostility 적대감

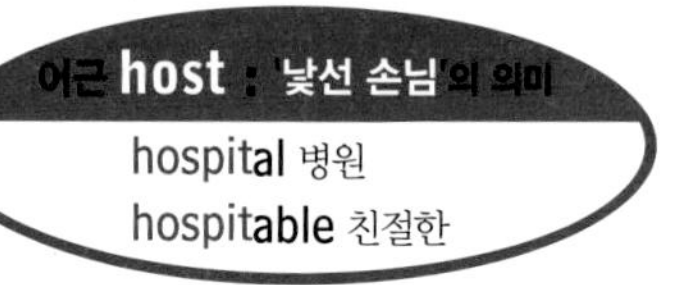

* hospital 병원 은 원래 병들고 가난한 낯선 사람들을 받아 주는 곳이란 의미에서 유래되었답니다.

825

combat
[kəmbǽt]
명 **전투, 싸움**(= battle)
동 **싸우다, 대처하다**

▸ Many soldiers were killed in the **combat**.
많은 군인들이 그 전투에서 죽었다.

▸ We have to **combat** crime and poverty.
우리는 범죄와 가난과 싸워야 한다.

형 combative 전투적인

826

inventive
[invéntiv]
형 **창의적인, 독창적인**
(= creative)

▸ With **inventive** technology, people today can communicate around the world.
창의적인 기술로 오늘날 사람들은 전 세계에 의사소통을 할 수 있다.

동 invent 발명하다
명 invention 발명

827

resource
[ríːsɔːrs]
명 **자원**

▸ Oil, coal, natural gas, metals, stone and sand are natural **resources**.
석유, 석탄, 천연가스, 금속, 돌, 모래는 천연자원이다.

참고 source 근원

828

height
[hait]
명 **높이**

▸ These trees grow to **heights** of up to 30 feet.
이 나무들은 30피트(약 9미터)까지 자란다.

참고 depth 깊이, length 길이, width 너비, distance 거리

829

contemporary
[kəntémpərèri]
형 **동시대의, 현대의**

▸ **Contemporary** medicine is much more effective than the past medicine.
현대의학은 과거의 의학보다 훨씬 더 효과적이다.

비교 temporary 일시적인

어근 **tempo** : '시간'의 의미
temporary 일시적인
tempo 속도, 템포

830

aspect
[ǽspekt]
명 **측면**

▸ Religion affects almost every **aspect** of her life.
종교는 그녀의 삶의 거의 모든 측면에 영향을 미친다.

831

despair

[dispέər]

명 **절망** (= discouragement)

어근 **spair** : '속도'의 의미

desperate 필사적인

prosper 번영하다

▸ To the **despair** of the workers, the company announced the closure of the factory.

노동자들에게 절망스럽게도 그 회사는 공장 폐쇄를 발표했다.

형 desperate 절망적인

832

bias

[báiəs]

명 **편견**(= prejudice)

▸ Reporters must be impartial and not show political **bias**.

기자들은 공정해야 하고 정치적 편견을 보여서는 안 된다.

형 biased 편견 있는

833

method

[méθəd]

명 **방법**

▸ I think we should try again using a different **method**.

다른 방법을 사용하여 다시 시도해야 할 것 같습니다.

형 methodical 체계적인

834

gradual

[grǽdʒuəl]

형 **점진적인, 점차적인**

▸ There has been a **gradual** improvement in our sales figures.

우리의 판매 실적이 점차 개선되고 있습니다.

부 gradually 점점

835

consult

[kənsʌ́lt]

동 **상담받다**

▸ It is a good idea to **consult** a professional before starting your business.

사업을 시작하기 전에 전문가에게 상담받는 것이 좋습니다.

명 consultant 상담가, 컨설턴트

836

endeavor

[indévər]

명 **노력, 시도**(= effort)

▸ He failed in his business despite his best **endeavors**.

그는 최선의 노력에도 불굴하고 사업에 실패했다.

837

adolescent

[ædəlésnt]

명형 **청소년(의)**

▸ The two **adolescent** boys made their mother very tired.

두 사춘기 소년들은 어머니를 매우 피곤하게 했다.

명 adolescence 청소년기

참고 juvenile 청소년의

day 28

838

conserve

[kənsə́:rv]

동 **아껴 쓰다, 보호하다**

▸ The environmental organization works to **conserve** our national forests.

그 환경단체는 우리의 국유림을 보존하기 위해 일한다.

명 conservation (자연) 보호

839

editor

[édətər]

명 **편집자**

▸ He has worked as an **editor** of the newspaper.

그는 그 신문의 편집자로 일해 왔다.

동 edit 편집하다

840

fragrance

[fréigrəns]

명 **향기, 향수**

▸ The shampoo has a soft **fragrance** of herb and plant extracts.

그 샴푸는 허브향과 식물 추출물이 부드러운 향이 난다.

형 fragrant 향기로운

DAY 28 - TEST

A 다음 단어들을 영어는 한글로 한글은 영어로 쓰세요.

1	**fake**	1	부화하다
2	**curiosity**	2	외교관
3	**extinguish**	3	대신에
4	**budget**	4	측면
5	**flaw**	5	절망
6	**ambiguous**	6	편견
7	**gradual**	7	청소년
8	**method**	8	상담 받다
9	**endeavor**	9	아껴 쓰다
10	**editor**	10	향수

C 다음 밑줄 친 단어와 같은 의미의 단어를 고르세요.

1 Because of the <u>ambiguous</u> question, it was difficult to choose the right answer.
ⓐ hostile ⓑ dreadful ⓒ deficient ⓓ obscure

2 It took about 50 minutes to <u>extinguish</u> the fire.
ⓐ put on ⓑ put off ⓒ put out ⓓ put up

3 Crossing the North Pole on foot was an amazing result of human <u>endeavor</u>.
ⓐ height ⓑ method ⓒ edition ⓓ effort

4 I found it hard to follow what the teacher was saying, and <u>eventually</u> I lost concentration.
ⓐ usually ⓑ finally ⓒ frequently ⓓ sometime

B 다음 중 올바른 뜻을 고르세요.

1	**crash**	□ 사고	□ 갈등
2	**inventive**	□ 창의적인	□ 의지하는
3	**eventually**	□ 가끔	□ 결국
4	**flaw**	□ 결함	□ 결정
5	**despair**	□ 절정	□ 절망
6	**survive**	□ 묘사하다	□ 생존하다
7	**adolescent**	□ 청소년	□ 성인
8	**aspect**	□ 측면	□ 팽창
9	**arrow**	□ 화살	□ 화염
10	**endeavor**	□ 노동	□ 노력

1	**편견**	□ bias	□ dice
2	**외교관**	□ diplomat	□ ambassador
3	**싸우다**	□ debate	□ combat
4	**예산**	□ finance	□ budget
5	**상담 받다**	□ consult	□ result
6	**자원**	□ source	□ resource
7	**가짜의**	□ fake	□ fate
8	**높이**	□ height	□ width
9	**동시대의**	□ contemporary	□ contaminate
10	**적대적인**	□ hospitable	□ hostile

D 다음 빈칸에 알맞은 단어를 고르세요.

1 He was charged with possessing a ____________ passport.

ⓐ fake ⓑ curious ⓒ rapid ⓓ genuine

2 To ____________ electricity, we are cutting down on our heating.

ⓐ observe ⓑ reserve ⓒ conserve ⓓ deserve

3 To the ____________ of the workers, the company announced the closure of the factory.

ⓐ appointment ⓑ despair ⓒ dispute ⓓ attention

day
29

» 841
870

오늘 학습할 필수 단어입니다. 눈으로 스캔하며 모르거나 헷갈리는 단어에 체크하세요.

- □ **existence** 존재
- □ **cruel** 잔인한
- □ **discriminate** 구별하다
- □ **advent** 도래, 출현
- □ **companion** 친구, 벗
- □ **develop** 발달시키다
- □ **enable** ~할 수 있게 하다
- □ **delay** 미루다, 지연시키다
- □ **architecture** 건축
- □ **observe** ① 관찰하다 ② 준수하다
- □ **climate** 기후
- □ **cherish** 소중히 여기다, 간직하다
- □ **enormous** 엄청난, 거대한
- □ **alternative** 대안
- □ **refuse** 거절하다, 거부하다
- □ **hinder** 방해하다
- □ **eradicate** 근절하다
- □ **distinct** 구별되는, 분명한
- □ **generous** 후한, 너그러운
- □ **enthusiastic** 열정적인

- □ **discuss** 논의[상의]하다
- □ **aptitude** 소질, 적성
- □ **convey** 운반하다, 수송하다
- □ **secretary** ① 비서 ② 장관
- □ **attend** ① 참석하다 ② 돌보다
- □ **conscience** 양심
- □ **departure** 출발(지)
- □ **economical** 경제적인, 알뜰한
- □ **justify** 정당화하다
- □ **donate** 기부하다

841

existence
[igzístəns]
명 **존재**

▶ Many people doubt the **existence** of God
많은 사람들이 신의 존재를 의심한다.

동 exist 존재하다

842

cruel
[krú:əl]
형 **잔인한**

▶ The new animal law prevents pet owners from treating their animals in a **cruel** way.
새로운 동물법은 애완동물 주인들이 그들의 동물들을 잔인하게 다루는 것을 막는다.

명 cruelty 잔임함

843

discriminate
[diskrímənèit]
동 **구별하다, 차별하다**

▶ She insisted she had been **discriminated** against because of her age.
그녀는 나이 때문에 차별을 받았다고 주장했다.

명 discrimination 차별, 구별

844

advent
[ǽdvent]
명 **도래, 출현**

▶ With the **advent** of the internet, working from home has become a common phenomenon.
인터넷의 출현과 함께, 집에서 일하는 것은 흔한 현상이 되었다.

어근 ven : '오다'의 의미
convene 모이다, 소집하다
avenue 가로수길, 대로

845

companion
[kəmpǽnjən]
명 **친구, 벗**
(= friend, comrade)

▶ For ten years she has been his constant **companion**.
10년 동안 그녀는 그의 변함없는 친구로 지내왔다.

846

develop
[divéləp]
동 발달시키다

▸ Scientists are **developing** new drugs to treat the infectious disease.
과학자들은 그 전염병을 치료하기 위해 신약을 개발하고 있다.

명 development 발달, 성장

참고 a developing country 개발도상국

847

enable
[inéibl]
동 ~할 수 있게 하다

▸ Online schools **enable** students to gain an education without leaving their homes.
온라인 학교는 학생들이 집을 떠나지 않고도 교육을 받을 수 있게 해준다.

848

delay
[diléi]
명 지연, 지체
동 미루다, 지연시키다
(= postpone, put off)

▸ We apologize for the **delay**. 지연되어 죄송합니다.

▸ He decided to **delay** his decision until he had seen the full report.
그는 모든 보고서를 볼 때까지 결정을 미루기로 결정했다.

849

architecture
[ɑ́:rkɪtèktʃər]
명 건축(학)

▸ The building is a fine example of Roman **architecture**.
그 건물은 로마 건축의 좋은 예이다.

형 architectural 건축(학)의

명 architect 건축가

접미사 -ure : 명사형성 접미사
adventure 모험
creature 생물

850

observe
[əbzə́:rv]
동 ① 관찰하다
② 준수하다

▸ Security guards are able to **observe** the car park using CCTV.
보안요원들이 CCTV를 이용해 주차장을 관찰할 수 있다.

▸ The old people in the village still **observe** the local traditions. 마을의 노인들은 여전히 지역 전통을 지키고 있다.

명 observation 관찰

851

climate
[kláimit]
명 **기후**

▸ The Mediterranean **climate** is good for growing olive and grapes.
지중해성 기후는 올리브와 포도를 재배하는데 좋다.

Tip climate change 기후 변화

852

cherish
[tʃériʃ]
동 **소중히 여기다, 간직하다**(= treasure)

▸ I **cherish** the memories of the time we spent together.
나는 우리가 함께 했던 시간들의 추억을 소중히 간직한다.

853

enormous
[inɔ́:rməs]
형 **엄청난, 거대한** (= huge, vast)

▸ The businessman has gained an **enormous** amount of money.
그 사업가는 막대한 돈을 벌어왔다.

명 enormity 엄청남

어근 norm : '기준'의 의미
normal 정상의
abnormal 비정상의

854

alternative
[ɔ:ltə́:rnətiv]
명 **대안**

▸ We have no **alternative** but to fight the enemy.
우리는 적과 싸우는 것 외에는 대안이 없다.

형 alternate 번갈아 생기는

숙어 have no alternative to V ~하는 것 외에는 대안이 없다

855

refuse
[rifjú:z]
동 **거절하다, 거부하다**

▸ His offer was too good to **refuse**.
그의 제안은 너무 좋아서 거절할 수 없었다.

명 refusal 거절

856

hinder
[híndər]
동 방해하다(= obstruct)

▸ An ankle injury will greatly **hinder** your ability to exercise.
발목 부상은 당신의 운동 능력을 크게 방해할 것이다.

명 hindrance 방해, 저해

Tip interfere 간섭하다, 방해하다
disturb 방해하다, 교란시키다
block 막다, 방해하다

857

eradicate
[irǽdəkèit]
동 근절하다

▸ A vaccine was created to **eradicate** the deadly disease.
백신이 그 치명적인 질병을 근절하기 위해 만들어졌다.

명 eradication 근절

858

distinct
[distíŋkt]
형 구별되는, 분명한
(= evident, obvious)

▸ The sales chart shows a **distinct** decline in the past few months.
판매 도표는 지난 몇 달간 뚜렷한 감소를 보여준다.

명 distinction 구별, 차이

859

generous
[dʒénərəs]
형 후한, 너그러운

▸ The **generous** old woman decided to donate much money to the charity.
그 관대한 노파는 자선단체에 많은 돈을 기부하기로 결심했다.

명 generosity 너그러움

Tip general 일반적인
genetic 유전적인
generic 일반적인

860

enthusiastic
[inθùːziǽstik]
형 열렬한, 열정적인
(= passionate)

▸ All the staff are **enthusiastic** about the business project.
전 직원이 그 사업 프로젝트에 열정적이다.

861

discuss
[diskʌ́s]
동 **논의[상의]하다**

▸ They held a meeting to **discuss** the future of the company.
그들은 회사의 장래를 논의하기 위해 회의를 열었다.

명 discussion 논의

862

aptitude
[ǽptətjù:d]
명 **소질, 적성**

▸ She has a natural **aptitude** for teaching children.
그녀는 아이들을 가르치는데 타고난 소질이 있다.

비교 attitude 태도

863

convey
[kənvéi]
동 **운반하다, 수송하다**
(= transport)

▸ The company **conveyed** the goods by ship.
그 회사는 배로 물건을 운송했다.

명 conveyance 운반, 수송

864

secretary
[sékrətèri]
명 **① 비서**
② 장관

▸ She works as a bilingual **secretary** for an insurance company.
그녀는 보험 회사에서 2개 국어를 하는 비서로 일한다.

▸ He is the Foreign **Secretary** of the country.
그는 그 나라의 외무 장관이다.

접두사 se- : 분리의 접두사
separate 분리시키다
seduce 유혹하다

865

attend
[əténd]
동 **① 참석하다**
② 돌보다, 처리하다

▸ If you want to **attend** the conference, you must sign up online by this Friday.
회의에 참석하시려면 이번 주 금요일까지 온라인으로 가입하셔야 합니다.

▸ I've got some business I must **attend** to.
처리해야 할 일이 좀 있어요.

명 attendance 출석, 참석

명 attention 주의, 주목

866

conscience
[kánʃəns]
명 양심

▸ I have battled with my **conscience** over whether I should tell the truth.
나는 진실을 말해야 할지를 놓고 양심의 가책을 느꼈다.

형 conscientious 양심적인

867

departure
[dipá:rtʃər]
명 출발(지)
(↔destination 목적지)

▸ We had to postpone our **departure** because of bad weather.
날씨가 안 좋아 우리는 출발을 연기해야 했다.

동 depart 떠나다, 출발하다

868

economical
[ì:kənámikəl]
형 경제적인, 알뜰한

▸ There's increasing demand for cars that are more **economical** on fuel.
연료에 보다 경제적인 자동차에 대한 수요가 증가하고 있다.

비교 economic 경제의

869

justify
[dʒʌ́stəfài]
동 정당화하다

▸ How can you **justify** spending so much money on clothes?
옷에 그렇게 많은 돈을 쓰는 것을 당신은 어떻게 정당화할 수 있습니까?

명 justification 정당화

형 justifiable 정당한, 타당한

870

donate
[dóuneit]
동 기부하다

▸ The businessman often **donates** large sums to charity.
그 사업가는 종종 거액을 자선단체에 기부한다.

명 donation 기부

명 donor 기부자

DAY 29 - TEST

A 다음 단어들을 영어는 한글로 한글은 영어로 쓰세요.

1	existence	1	잔인한
2	advent	2	개발시키다
3	enable	3	지연시키다
4	architecture	4	관찰하다
5	discuss	5	기후
6	enormous	6	거절하다
7	generous	7	근절하다
8	enthusiastic	8	소질, 적성
9	justify	9	양심
10	departure	10	기부하다

C 다음 밑줄 친 단어와 같은 의미의 단어를 고르세요.

1 In marriage, a man promises to <u>cherish</u> his wife.

ⓐ expose ⓑ chase ⓒ execute ⓓ treasure

2 We chose not to undertake the project because of the <u>enormous</u> costs involved.

ⓐ critical ⓑ huge ⓒ justifiable ⓓ economical

3 High winds have <u>hindered</u> firefighters in their efforts to put out the blaze.

ⓐ interfered ⓑ resolved ⓒ interrupted ⓓ transported

4 All the staff in the company are <u>enthusiastic</u> about the project.

ⓐ passionate ⓑ desperate ⓒ secure ⓓ resolute

B 다음 중 올바른 뜻을 고르세요.

1	**companion**	□ 회사원	□ 친구
2	**discriminate**	□ 구별하다	□ 제외하다
3	**eradicate**	□ 누설하다	□ 근절하다
4	**enthusiastic**	□ 열정적인	□ 열광하는
5	**cruel**	□ 거대한	□ 잔인한
6	**generous**	□ 후한	□ 인색한
7	**secretary**	□ 비밀	□ 비서
8	**cherish**	□ 간직하다	□ 보수하다
9	**alternative**	□ 고도	□ 대안
10	**convey**	□ 운반하다	□ 호위하다

1	**참석하다**	□ attend	□ contend
2	**구별되는**	□ distant	□ distinct
3	**방해하다**	□ hide	□ hinder
4	**도래**	□ advent	□ prevent
5	**건축**	□ architect	□ architecture
6	**거절하다**	□ confuse	□ refuse
7	**출발(지)**	□ departure	□ destination
8	**양심**	□ consciousness	□ conscience
9	**알뜰한**	□ economical	□ extravagant
10	**정당화하다**	□ fortify	□ justify

D 다음 빈칸에 알맞은 단어를 고르세요.

1 Doctors these days tend to be more open-minded about _________ medicine.

ⓐ competitive ⓑ inventive ⓒ creative ⓓ alternative

2 The government claims to be doing all it can to ______________ corruption.

ⓐ assure ⓑ warn ⓒ eradicate ⓓ convince

3 I don't think there's any need for all of us to ______________ the meeting.

ⓐ attend ⓑ contend ⓒ distend ⓓ extend

day
30

» 871
900

오늘 학습할 필수 단어입니다. 눈으로 스캔하며 모르거나 헷갈리는 단어에 체크하세요.

- □ **depend** 의지하다, 의존하다
- □ **ensure** 확실히 하다
- □ **revolution** 혁명
- □ **occur** (일이) 일어나다, 발생하다
- □ **prevent** 막다, 예방[방지]하다
- □ **capacity** 수용력, 능력
- □ **pause** (일시) 중단, 멈춤
- □ **compete** 경쟁하다
- □ **anxious** ① 걱정하는 ② 열망하는
- □ **cope** 대처하다
- □ **manual** 수동의, 육체노동의
- □ **fine** 벌금
- □ **certify** 증명하다
- □ **similar** 비슷한, 유사한
- □ **suppose** 생각하다, 추측하다
- □ **mature** 익은, 성숙한
- □ **criticize** 비판하다, 비난하다
- □ **confess** 고백하다
- □ **applaud** 박수갈채하다
- □ **authentic** 진품인, 진짜인

- □ **confirm** 확인하다
- □ **frustrate** 좌절시키다
- □ **humid** 습한
- □ **genuine** 진짜의
- □ **legal** 합법적인
- □ **maintain** 유지하다
- □ **endure** 견디다, 인내하다
- □ **frontier** 국경
- □ **massive** 거대한, 엄청나게 큰
- □ **trend** 동향, 추세

871

depend
[dipénd]

동 **의지하다, 의존하다**

▸ The island's economy **depends** on tourism.
그 섬의 경제는 관광업에 의존한다.

형 dependent 의존하는

명 dependence 의지, 의존

872

ensure
[inʃúər]

동 **확실히 하다**(= confirm)

▸ Steps must be taken to **ensure** this never happens again.
다시는 이런 일이 확실히 일어나지 않도록 조치를 취해야 한다.

873

revolution
[rèvəlú:ʃən]

명 **혁명**

▸ The **revolution** replaced the dictator's absolute power with democracy.
그 혁명은 독재자의 절대 권력을 민주주의로 대체했다.

형 revolutionary 혁명적인

비교 revolt 반란

874

occur
[əkə́:r]

동 (일이) **일어나다, 발생하다**(= take place)

어근 cur : '달리다'의 의미

course 코스, 강좌, 수업
current 흐름; 현재의

▸ The highest rates of unemployment **occur** in the inner urban areas. 실업률이 가장 높은 곳은 도심 내 지역이다.

명 occurrence 발생

875

prevent
[privént]

동 **막다, 예방[방지]하다**

▸ a vaccine to **prevent** the disease 병을 예방하기 위한 백신

▸ Label your suitcases to **prevent** confusion.
혼란을 막기 위해 여행가방에 라벨을 붙이세요.

명 prevention 예방, 방지

형 preventive 예방하는

876

capacity
[kəpǽsəti]
명 **수용력, 능력**

▸ The baseball stadium has a seating **capacity** of 35,000.
그 야구장의 수용인원은 35,000명이다.

어근 **cap** : '잡다'의 의미
capable 유능한
captive 포로

877

pause
[pɔːz]
명 (일시) **중단, 멈춤**

▸ There was a brief **pause** in the conversation.
대화가 잠시 중단되었다.

day 30

878

compete
[kəmpíːt]
동 **경쟁하다**
(= contend, vie)

▸ It's difficult for a small shop to **compete** with the big supermarkets.
작은 가게가 큰 슈퍼마켓과 경쟁하기는 어렵다.

명 competence 경쟁

879

anxious
[ǽŋkʃəs]
형 ① **걱정하는**
② **열망하는**

▸ The drought has made farmers **anxious** about the harvest.
가뭄으로 농부들은 수확을 걱정하게 되었다.

▸ He was **anxious** to pass the exam.
그는 시험에 합격하기를 간절히 바라고 있었다.

어근 **ang** : '꽉 조인'의 의미
anger 화
anguish (마음의) 고통

880

cope
[koup]
동 **대처하다**

▸ It is hard to **cope** with the stress of everyday life.
일상생활의 스트레스에 대처하는 것은 어렵다.

881

manual

[mǽnjuəl]

형 **수동의, 육체노동의**
(↔ automatic 자동의)

▸ She spent the summer doing **manual** labor on her uncle's farm.
그녀는 삼촌의 농장에서 육체 노동을 하며 여름을 보냈다.

882

fine

[fain]

명 **벌금**

▸ He had to pay a heavy **fine** for speeding.
그는 과속으로 무거운 벌금을 내야 했다.

883

certify

[sə́ːrtəfài]

동 **증명하다**(= prove)

▸ A piece of paper was issued to **certify** the diamond was real.
다이아몬드가 진짜임을 증명하기 위해 종이 한 장이 발행되었다.

명 certification 증명

명 certificate 증명서, 자격증

884

similar

[símələr]

형 **비슷한, 유사한**
(= alike)

▸ My wife and I have **similar** views on politics.
내 아내와 나는 정치에 대해 비슷한 견해를 가지고 있다.

명 similarity 비슷함, 유사성

부 similarly 비슷하게

어근 sim : '닮은'의 의미

simulate 흉내내다, 모방하다
resemble ~을 닮다

885

suppose

[səpóuz]

동 (~라고) **생각하다, 추측하다**
(= guess, presume)

▸ There's no reason to **suppose** she's lying.
그녀가 거짓말을 하고 있다고 생각할 이유는 없다.

명 supposition 추측, 추정

숙어 be supposed to V ~하기로 되어 있다, ~해야 한다

886

mature

[mətjúər]

형 **익은, 성숙한**

(↔ immature 미숙한)

▸ Lauren looks **mature** for her age.

로렌은 나이에 비해 성숙해보여.

명 maturity 성숙함

887

criticize

[krítəsàiz]

동 **비판하다, 비난하다**

▸ The government is being **criticized** for failing to limit environment pollution.

정부는 환경오염을 제한하지 못한 것에 대해 비난받고 있다.

명 criticism 비난, 비판

어근 **cri** : '나누다'의 의미

crisis 위기

criminal 범죄자, 범인

888

confess

[kənfés]

동 **고백하다**

▸ He **confessed** to his wife that he had lost his wedding ring.

그는 아내에게 결혼반지를 잃어버렸다고 고백했다.

명 confession 고백

889

applaud

[əplɔ́:d]

동 **박수갈채하다**(= clap)

▸ He was **applauded** for five minutes after his speech.

그는 연설 후 5분 동안 박수갈채를 받았다.

명 applause 박수갈채

890

authentic

[ɔ:θéntik]

형 **진품인, 진짜인**

(= real, genuine)

▸ Most historians accept that the documents are **authentic**.

대부분의 역사가들은 그 문서가 진짜라는 것을 받아들인다.

명 authenticity 진품

891

confirm

[kənfə́ːrm]

동 **확인하다**(= ascertain)

▶ With a blood test, a physician was able to **confirm** the woman's pregnancy.

혈액 검사로 의사는 그 여성의 임신을 확인할 수 있었다.

명 confirmation 확인

어근 firm : '확실한'의 의미

affirm 확언하다

infirmary 양호실, 진료소

892

frustrate

[frʌ́streit]

동 **좌절시키다**

(= discourage)

▶ It really **frustrates** me that I can't do things for myself.

내가 뭔가를 혼자 힘으로 할 수 없다는 것이 정말 나를 좌절시킨다.

명 frustration 좌절

893

humid

[hjúːmid]

형 **습한**

▶ The city is very hot and **humid** in summer.

그 도시는 여름에 매우 덥고 습하다.

894

genuine

[dʒénjuin]

형 **진짜의**

(= real, authentic)

▶ The collector bought a **genuine** Picasso painting.

그 수집가는 진짜 피카소 그림을 샀다.

895

legal

[líːgəl]

형 **합법적인**

(↔ illegal 불법적인)

▶ He plans to take **legal** action against the company.

그는 그 회사를 상대로 법적 조치를 취할 계획이다.

명 legality 합법성

896

maintain
[meintéin]
동 **유지하다**

▸ She has found it difficult to **maintain** a healthy weight.
그녀는 건강한 체중을 유지하는 것이 어렵다는 것을 알았다.

명 maintenance 유지

897

endure
[indjúər]
동 **견디다, 인내하다**
(= bear)

▸ It seemed impossible that anyone could **endure** such pain.
어느 누구도 그런 고통을 견디는 것을 불가능해 보였다.

명 endurance 인내

898

frontier
[frʌntíər]
명 **국경**

▸ When I was young, I lived in a town close to the **frontier**.
내가 어렸을 때, 나는 국경과 가까운 마을에서 살았다.

899

massive
[mǽsiv]
형 **거대한, 엄청난**
(= enormous, immense)

▸ You can find a **massive** amount of information on the Internet.
당신은 인터넷에서 엄청난 양의 정보를 찾을 수 있습니다.

어근 mass : '큰 덩어리'의 의미
mason 석공
amass 모으다, 축적하다

900

trend
[trend]
명 **동향, 추세**(= tendency)

▸ The current **trend** is towards more part-time employment.
현재의 추세는 시간제 고용이 더 많아지고 있다.

Tip trend는 '트렌드'라는 외래어로도 잘 쓰임

DAY 30 - TEST

A 다음 단어들을 영어는 한글로 한글은 영어로 쓰세요.

1	**revolution**	1	비난하다
2	**prevent**	2	(일시) 중지
3	**compete**	3	걱정하는
4	**cope**	4	벌금
5	**suppose**	5	비슷한
6	**depend**	6	고백하다
7	**applaud**	7	확인하다
8	**authentic**	8	인내하다
9	**humid**	9	국경
10	**massive**	10	동향, 추세

C 다음 밑줄 친 단어와 같은 의미의 단어를 고르세요.

1 The driver was certified dead at the scene.

ⓐ anticipated ⓑ proved ⓒ performed ⓓ compelled

2 She has always shown a genuine concern for poor people.

ⓐ real ⓑ anxious ⓒ former ⓓ reverse

3 You can find a massive amount of information on the Internet.

ⓐ slight ⓑ complete ⓒ immense ⓓ impressive

4 The accident occurred while a lot of students were at school.

ⓐ underwent ⓑ happened ⓒ dedicated ⓓ published

B 다음 중 올바른 뜻을 고르세요.

1	**capacity**	□ 능력	□ 시설
2	**certify**	□ 설정하다	□ 증명하다
3	**confirm**	□ 확인하다	□ 결심하다
4	**legal**	□ 합법적인	□ 불법적인
5	**mature**	□ 성숙한	□ 미숙한
6	**maintain**	□ 다루다	□ 유지하다
7	**authentic**	□ 진품인	□ 가짜인
8	**frustrate**	□ 버리다	□ 좌절시키다
9	**frontier**	□ 한계	□ 국경
10	**criticize**	□ 비난하다	□ 평가하다

1	**(일이) 발생하다**	□ concur	□ occur
2	**경쟁하다**	□ compose	□ compete
3	**진품인**	□ authentic	□ authoritative
4	**예방하다**	□ prepose	□ prevent
5	**추측하다**	□ dispose	□ suppose
6	**진짜의**	□ genuine	□ generous
7	**혁명**	□ revolt	□ revolution
8	**인내하다**	□ endure	□ ensure
9	**수동의**	□ mania	□ manual
10	**고백하다**	□ confirm	□ confess

D 다음 빈칸에 알맞은 단어를 고르세요.

1 He no longer ________________ on his parents for money.

ⓐ depends ⓑ confirm ⓒ suspends ⓓ reform

2 His leg injury may ________________ him from playing in tomorrow's game.

ⓐ accuse ⓑ convey ⓒ confuse ⓓ prevent

3 It ________________ me that I'm not able to put any of my ideas into practice.

ⓐ responds ⓑ frustrates ⓒ settles ⓓ exhausts

정답 | Check Up TEST day 01 > 30

Answer

day 1

A

1.	**acquire**	얻다, 습득하다	1.	**위기**	crisis
2.	**anniversary**	기념일	2.	**추천하다**	recommend
3.	**survey**	조사	3.	**요청**	request
4.	**debate**	토론	4.	**생생한**	vivid
5.	**equipment**	장비, 장치	5.	**간단한**	brief
6.	**annual**	매년의	6.	**본질적인**	essential
7.	**complex**	복잡한	7.	**설득하다**	persuade
8.	**absent**	결석한	8.	**관계**	relation
9.	**rare**	드문, 희귀한	9.	**공통의**	common
10.	**notice**	공지; 알아차리다	10.	**고용하다**	employ

B

1.	**crisis**	위기	1.	**매년의**	annual
2.	**employ**	고용하다	2.	**(돈 · 시간을) 쓰다**	expend
3.	**recommend**	추천하다	3.	**정확한**	correct
4.	**conduct**	지휘하다	4.	**결석한**	absent
5.	**essential**	본질적인	5.	**드문**	rare
6.	**vivid**	생생한	6.	**관계**	relation
7.	**initial**	초기의	7.	**공지**	notice
8.	**reveal**	드러내다	8.	**설득하다**	persuade
9.	**brief**	간단한	9.	**활용하다**	utilize
10.	**debate**	토론	10.	**표준**	standard

C

1. ⓑ 그 대학은 수준이 아주 높다는 명성을 얻었다.
2. ⓒ 우리는 그 계약서를 검토하기 위해 변호사를 고용해야 했다.
3. ⓐ 그는 적에게 비밀을 누설한 혐의로 처형되었다.
4. ⓒ 정부는 그 회사의 광물 자원을 활용하도록 허가했다.

D

1. ⓐ 그 기획이 성공하려면 정부 지원은 필수적일 것이다.
2. ⓓ 과학자들은 결국 흡연과 폐암 사이의 관계를 증명했다.
3. ⓑ 대부분의 사람들은 악화되고 있는 국가 경제 위기를 정부 탓으로 돌린다.

day 2

A

1.	**insist**	주장하다	1.	**정책**	policy
2.	**defend**	방어하다	2.	**의존하다**	depend
3.	**chapter**	(책의) 장	3.	**사임하다**	retire
4.	**glitter**	반짝이다	4.	**영향**	influence
5.	**random**	무작위의	5.	**환불하다**	refund
6.	**remain**	남아있다	6.	**사건**	incident
7.	**investigate**	수사하다	7.	**(편의) 시설**	facility
8.	**qualification**	자격	8.	**지역**	region
9.	**upcoming**	다가오는	9.	**병력, 군대**	troop
10.	**recruit**	채용하다, 신병	10.	**반사하다**	reflect

B

1.	**policy**	정책	1.	**연구[조사]하다**	research
2.	**chapter**	(책의) 장	2.	**사건**	incident
3.	**glitter**	반짝이다	3.	**영향**	influence
4.	**resign**	사임하다	4.	**신체단련**	fitness
5.	**disagree**	반대하다	5.	**(편의) 시설**	facility
6.	**reduce**	줄이다	6.	**지역**	region
7.	**random**	무작의의	7.	**신병**	recruit
8.	**numerous**	많은	8.	**병력, 부대**	troop
9.	**seek**	찾다	9.	**환불**	refund
10.	**defend**	방어하다	10.	**신뢰, 믿음**	faith

C

1. ⓒ 그녀에게 하나님에 대한 믿음보다 더 중요한 것은 없다.
2. ⓐ 소기업들은 살아남기 위해 비용을 줄여야 할 것이다.
3. ⓒ 우리는 이 계획들을 여러 차례 논의해왔다.
4. ⓓ 찰리는 여전히 자신이 잘못한 것이 없다고 주장한다.

D

1. ⓑ 부모님은 제 인생에 큰 영향을 끼쳐왔습니다.
2. ⓓ 소들 중 무작위로 표본으로 한 테스트가 실시되었다.
3. ⓒ 소비자 지출의 감소는 경제에 대한 우려를 반영한다.

day 3

A

1. **financial** 재정의
2. **intense** 극심한
3. **considerable** 상당한
4. **preserve** 보존하다
5. **council** 의회
6. **theory** 이론
7. **messy** 지저분한
8. **consumer** 소비자
9. **staff** (전체) 직원
10. **achieve** 성취하다

1. **파업** strike
2. **속담** proverb
3. **수술** surgery
4. **순간적인** momentary
5. **보편적인** universal
6. **평판, 명성** reputation
7. **최근의** recent
8. **임대차 계약** lease
9. **수입하다** import
10. **맹세하다** swear

B

1. **arrange** 준비하다
2. **proverb** 속담
3. **surgery** 수술
4. **universal** 보편적인
5. **demand** 요구
6. **horrible** 끔찍한
7. **achieve** 성취하다
8. **swear** 맹세하다
9. **recent** 최근의
10. **hasty** 성급한

1. **상당한** considerable
2. **재정의** financial
3. **극심한** intensive
4. **순간적인** momentary
5. **빤히 쳐다보다** stare
6. **지저분한** messy
7. **기금** fund
8. **임대차 계약** lease
9. **의회** council
10. **던지다** cast

C

1. ⓑ 그는 갑자기 가슴에 극심한 통증을 느꼈다.
2. ⓓ 우리는 이미 상당한 시간과 돈을 낭비했다.
3. ⓐ 그 회사는 품질에 대해 세계적인 명성을 가지고 있다.
4. ⓒ 벤의 침실은 항상 정말 지저분하다.

D

1. ⓑ 이 법들은 우리의 천연자원을 보존하는 것을 돕기 위한 것이다.
2. ⓓ 음식과 같은 돈은 거의 보편적인 관심의 주제이다.
3. ⓒ 그녀는 마침내 올림픽에서 금메달을 따겠다는 야망을 이루었다.

day 4

A

1.	**indeed**	정말로, 실로	1.	**전문가**	expert
2.	**military**	군대의, 군사의	2.	**식민지**	colony
3.	**department**	부, 부서	3.	**경제**	economy
4.	**repair**	수리, 수리하다	4.	**귀중한**	precious
5.	**injury**	부상	5.	**정당화하다**	justify
6.	**assist**	돕다	6.	**태도**	attitude
7.	**occupy**	차지하다	7.	**국내의**	domestic
8.	**severe**	극심한	8.	**불공정한**	unfair
9.	**philosophy**	철학	9.	**시골의**	rural
10.	**comprehend**	이해하다	10.	**실험**	experiment

B

1.	**military**	군대의	1.	**실로, 정말로**	indeed
2.	**expert**	전문가	2.	**(내과) 의사**	physician
3.	**department**	부서	3.	**수입**	income
4.	**colony**	식민지	4.	**부상**	injury
5.	**precious**	귀중한	5.	**목표**	aim
6.	**unfair**	불공정한	6.	**정당화하다**	justify
7.	**domestic**	국내의	7.	**극심한**	severe
8.	**elevate**	올리다	8.	**태도**	attitude
9.	**impression**	인상	9.	**이해하다**	comprehend
10.	**comprehend**	이해하다	10.	**실험**	experiment

C

1. ⓒ 그는 부서져가던 낡은 의자를 수리했다.
2. ⓓ 제 인생의 주된 목표는 훌륭한 과학자가 되는 것입니다.
3. ⓐ 나는 무슨 일이 일어났는지 이해할 수 없었다.
4. ⓑ 예상치 못한 웃음소리에 그 연사를 당황하게 했다.

D

1. ⓓ 이 사고로 열차 승객 몇 명이 중상을 입었다.
2. ⓐ 국내 시장은 여전히 침체되어 있지만 해외 수요는 상승하고 있다.
3. ⓒ 정부는 반란군이 이 지역에서 철수하지 않으면 군사 행동을 취하겠다고 위협해 왔다.

day 5

A

1.	**annoy**	짜증나게 하다	1.	**중고의**	used
2.	**rescue**	구조하다	2.	**제조사**	manufacturer
3.	**certain**	확실한, 어떤	3.	**객관적인**	objective
4.	**distinguish**	구별하다	4.	**장학금**	scholarship
5.	**pressure**	압력, 압박	5.	**목격자**	witness
6.	**mention**	언급, 언급하다	6.	**야망**	ambition
7.	**irritate**	짜증나게 하다	7.	**가죽**	leather
8.	**concerned**	걱정하는	8.	**지속하다**	last
9.	**accompany**	~와 동행하다	9.	**장관, 각료**	minister
10.	**dreadful**	두려운	10.	**범인**	criminal

B

1.	**distinguish**	구별하다	1.	**언급하다**	mention
2.	**accompany**	동행하다	2.	**야망**	ambition
3.	**former**	이전의	3.	**조직, 단체**	organization
4.	**irritate**	짜증나게 하다	4.	**걱정하는**	concerned
5.	**publish**	출판하다	5.	**깨닫다**	realize
6.	**objective**	객관적인	6.	**구조하다**	rescue
7.	**fabric**	직물	7.	**범인**	criminal
8.	**scholarship**	장학금	8.	**고대의**	ancient
9.	**account**	설명	9.	**두려운**	dreadful
10.	**condition**	상태	10.	**붕대**	prebandagess

C

1. ⓐ 주디가 오늘 아침 회의에서 나를 정말 짜증나게 했어요.
2. ⓑ 의사는 그녀의 상태가 천천히 호전되고 있다고 말했다.
3. ⓒ 구명보트 덕분에 선원들은 가라앉고 있는 배에서 구조되었다.
4. ⓓ 그 노인은 미국의 전 대통령이었다.

D

1. ⓑ 당신은 거짓말과 진실을 구별해야 한다.
2. ⓐ 친한 친구가 아프리카 여행에 동행하기로 했다.
3. ⓓ 그 마을 사람들은 아직도 조상들의 옛 전통을 지키고 있다.

day 6

A

1.	**vain**	헛된, 소용없는	1.	**민간인**	civilian
2.	**valuable**	귀중한	2.	**영감을 주다**	inspire
3.	**spoil**	망치다	3.	**주장**	argument
4.	**diverse**	다양한	4.	**기술**	technology
5.	**author**	작가	5.	**지지하다**	support
6.	**subjective**	주관적인	6.	**사라지다**	disappear
7.	**continue**	계속하다	7.	**장벽**	barrier
8.	**reject**	거절하다	8.	**제외하다**	exclude
9.	**behavior**	행동	9.	**유망한**	promising
10.	**seemingly**	겉으로는	10.	**반도**	peninsula

B

1.	**author**	작가	1.	**헛된**	vain
2.	**inspire**	영감을 주다	2.	**사라지다**	disappear
3.	**diverse**	다양한	3.	**망치다**	spoil
4.	**support**	지지하다	4.	**~되다**	become
5.	**caution**	주의	5.	**주제**	theme
6.	**barrier**	장벽	6.	**제외하다**	exclude
7.	**devote**	헌신하다	7.	**거절하다**	reject
8.	**behavior**	행동	8.	**동기부여하다**	motivate
9.	**detailed**	상세한	9.	**민간인**	citizen
10.	**promising**	촉망되는	10.	**겉으로는**	seemingly

C

1. ⓓ 우리는 문화적으로 다양한 사회에 살고 있다는 것을 인식할 필요가 있습니다.
2. ⓐ 그는 경찰에게 귀중한 정보를 제공할 수 있었다.
3. ⓒ 총리는 사임할 때라는 제안을 거부했다.
4. ⓑ 우리 강아지가 점심 먹고 바로 사라졌는데 어두워지기 전에 집에 돌아오길 바라고 있다.

D

1. ⓑ 그들은 올해 가장 유망한 신인 밴드 상을 받았다.
2. ⓒ 그는 많은 젊은이들에게 스포츠를 시작하도록 영감을 주었습니다.
3. ⓑ 판사는 부당하게 취득한 증거를 배제하기로 결정했다.

day 7

A

1.	**mutual**	상호간의	1.	**행진하다**	march
2.	**obedient**	순종적인	2.	**계약서**	contract
3.	**commit**	저지르다	3.	**~을 탓하다**	blame
4.	**depict**	묘사하다	4.	**소개하다**	introduce
5.	**significant**	중요한	5.	**재촉하다**	urge
6.	**disaster**	재난, 재해	6.	**기간**	period
7.	**emission**	배출(물)	7.	**자서전**	autobiography
8.	**drown**	익사시키다	8.	**정치인**	politician
9.	**adequate**	충분한	9.	**피로**	fatigue
10.	**component**	요소, 부품	10.	**협상하다**	negotiate

B

1.	**mutual**	상호간의	1.	**계약서**	contract
2.	**customer**	고객	2.	**~를 탓하다**	blame
3.	**obedient**	순종적인	3.	**묘사하다**	depict
4.	**significant**	중요한	4.	**항해하다**	navigate
5.	**emission**	배출	5.	**생태계**	ecology
6.	**introduce**	소개하다	6.	**자서전**	autobiography
7.	**drown**	익사시키다	7.	**차량, 탈것**	vehicle
8.	**violence**	위반	8.	**충분한**	adequate
9.	**politician**	정치인	9.	**~받을만하다**	merit
10.	**lean**	기대다	10.	**피로**	fatigue

C

1. ⓐ 학생들은 교실에서 조용하고 순종적이 될 것으로 기대되어진다.
2. ⓑ 당신의 계획에 중대한 변화가 있다면 우리에게 알려주세요.
3. ⓓ 큰 월급은 아니지만 우리의 필요에 적당합니다.
4. ⓐ 이 사회적 이슈는 특별한 주의를 기울일 가치가 있다.

D

1. ⓑ 그 강도는 범죄를 저지르기 위해 무기를 사용했다.
2. ⓓ 정부는 온실가스의 배출을 줄이기 위해 노력해왔다.
3. ⓒ 경찰은 그녀가 가정 폭력의 피해자였다고 말했다.

day 8

A

1.	**prompt**	즉각적인	1.	**사과하다**	apologize
2.	**extreme**	극단적인	2.	**핵심**	core
3.	**touching**	감동적인	3.	**부족**	lack
4.	**process**	과정	4.	**의심**	suspicion
5.	**exhaust**	지치게 하다	5.	**과정**	process
6.	**threaten**	위협[협박]하다	6.	**여론조사**	poll
7.	**confuse**	혼란시키다	7.	**폭탄**	bomb
8.	**resolution**	결심	8.	**수수께끼**	riddle
9.	**electronic**	전자의	9.	**보물**	treasure
10.	**obligatory**	의무적인	10.	**침입하다**	invade

B

1.	**apologize**	사과하다	1.	**감동적인**	touching
2.	**process**	과정	2.	**의심**	suspicion
3.	**exhaust**	지치게 하다	3.	**다루다**	handle
4.	**available**	구할 수 있는	4.	**여론조사**	poll
5.	**welfare**	복지	5.	**혼란시키다**	confuse
6.	**resolution**	결심	6.	**금지하다**	bar
7.	**bomb**	폭탄	7.	**수수께끼**	riddle
8.	**obligatory**	의무적인	8.	**초과하다**	exceed
9.	**treasure**	보물	9.	**전자의**	electronic
10.	**storage**	저장	10.	**침입하다**	invade

C

1. ⓐ 강도가 가게 주인을 총으로 위협했다.
2. ⓑ 희생자들은 신속한 의료 지원이 필요하다.
3. ⓒ 그날 아침의 그의 행동은 매우 비범했다.
4. ⓓ 나는 그가 사태의 심각성을 전혀 모르고 있다고 생각한다.

D

1. ⓑ 그는 화를 낸 것에 대해 아내와 아이들에게 사과했다.
2. ⓐ 이렇게 오랜 시간 일하면 너 완전히 지칠 거야.
3. ⓓ 그의 이상한 행동은 이웃들의 의심을 불러일으켰다.

day 9

A

1. **landscape** 풍경, 경치
2. **medium** 중간의, 매체
3. **widow** 미망인
4. **fatal** 치명적인
5. **pillar** 기둥
6. **orbit** 궤도
7. **plumber** 배관공
8. **serious** 심각한; 진지한
9. **seldom** 좀처럼 ~않는
10. **principal** 주요한; 교장

1. **적용하다** apply
2. **가끔** occasionally
3. **(가스)레인지** stove
4. **불리한 점** disadvantage
5. **토대** foundation
6. **배달하다** deliver
7. **탑승한** aboard
8. **실제적인** practical
9. **배우자** spouse
10. **~하지 않으면** unless

B

1. **apply** 적용하다
2. **occasionally** 가끔
3. **spouse** 배우자
4. **worship** 숭배하다
5. **cottage** (시골) 작은집
6. **deliver** 배달하다
7. **stir** 휘젓다
8. **stimulate** 자극하다
9. **decay** 썩다
10. **orbit** 궤도

1. **치명적인** fatal
2. **실용적인** practical
3. **기둥** pillar
4. **극복하다** overcome
5. **치솟다** soar
6. **~하지 않으면** whether
7. **탑승한** aboard
8. **자손** descendant
9. **좀처럼 ~않는** seldom
10. **~인지 아닌지** whether

C

1. ⓑ 저는 가끔 친구와 영화관에 간다.
2. ⓒ 그가 여행을 한 주된 이유는 조부모님을 방문하기 위해서였다.
3. ⓐ 설탕은 당신의 치아를 썩게 한다.
4. ⓓ 많은 학교에서 폭력이 심각한 문제가 되었다.

D

1. ⓓ 정부는 경제를 자극하기 위해 감세를 계획하고 있다.
2. ⓑ 우리는 가난한 사람들을 위해 실질적인 도움을 제공할 것입니다.
3. ⓐ 그 회사의 재정 문제는 더 이상 극복할 수 없었다.

day 10

A

1.	**roast**	(고기를) 굽다	1.	**오히려**	besides
2.	**locate**	~의 위치를 찾아내다	2.	**(집합적) 소**	cattle
3.	**besides**	~외에도, 또한	3.	**살인**	murder
4.	**alter**	바꾸다, 변하다	4.	**먼**	distant
5.	**fiction**	소설, 허구	5.	**~에도 불구하고**	electricity
6.	**panic**	공포, 공황	6.	**무시하다**	ignore
7.	**fond**	빛	7.	**기적**	miracle
8.	**recognize**	알아차리다	8.	**자신감**	confidence
9.	**bound**	~행인, ~로 가는	9.	**천재**	genius
10.	**luxury**	사치	10.	**말다툼**	quarrel

B

1.	**rather**	오히려	1.	**비공식적인**	informal
2.	**alter**	바꾸다	2.	**~외에도**	besides
3.	**miracle**	기적	3.	**분명한**	plain
4.	**confidence**	자신감	4.	**운명**	destiny
5.	**distant**	먼	5.	**허구**	nonfiction
6.	**quarrel**	말다툼	6.	**좋아하는**	fond
7.	**luxury**	사치	7.	**~행인**	bound
8.	**romantic**	연애의	8.	**한숨**	sigh
9.	**despite**	~에도 불구하고	9.	**암**	cancer
10.	**panic**	공포	10.	**먼, 외진**	remote

C

1. ⓒ 술은 사람의 기분을 바꿀 수 있다.
2. ⓐ 먼 옛날, 공룡들은 지구를 돌아다녔습니다.
3. ⓒ 우리 나라의 운명이 이 투표에 달려있다!
4. ⓑ 어떻게 정부가 다수의 바람을 무시할 수 있는가?

D

1. ⓑ 그를 살리기 위한 최선의 노력에도 불구하고 환자는 밤새 사망했다.
2. ⓒ 세계보건기구(WHO)는 1953년부터 알코올중독을 질병으로 인정하고 있다.
3. ⓓ 그들은 비공식적인 모임으로 시작했지만, 최근 몇 년 동안 점점 더 공식화 되었다.

day 11

A

1. **float** (물에) 뜨다
2. **frequent** 잦은, 빈번한
3. **route** 길, 경로
4. **journey** (긴) 여행
5. **tropical** 열대의
6. **paralyze** 마비시키다
7. **victim** 희생자, 피해자
8. **marvel** (감탄하며) 놀라다
9. **wander** 거닐다, 돌아다니다
10. **species** (생물의) 종

1. **여가, 레저** leisure
2. **기념비적인** monumental
3. **예약** reservation
4. **착륙하다** land
5. **민감한** sensitive
6. **열정적인** passionate
7. **불길, 불꽃** flame
8. **유산** heritage
9. **노력** effort
10. **추상적인** abstract

B

1. **frequent** 빈번한
2. **reservation** 예약
3. **forecast** 예보
4. **passionate** 열정적인
5. **marvel** 놀라다
6. **victim** 피해자
7. **function** 기능
8. **heritage** 유산
9. **extend** 연장하다
10. **species** (생물의) 종

1. **(물에) 뜨다** float
2. **기념비적인** monumental
3. **긴 여행** journey
4. **(손목을) 삐다** sprain
5. **그렇지 않으면** otherwise
6. **마비시키다** paralyze
7. **불길, 불꽃** flame
8. **노력** effort
9. **(소식을) 전달하다** relay
10. **추상적인** abstract

C

1. ⓐ 그 지도자는 자유와 독립에 대한 열정적인 연설을 했다.
2. ⓒ 범죄를 줄이려는 그들의 노력으로 정부는 경찰력을 확대했다.
3. ⓑ 그 회사는 올해 엄청난 성공을 거두었다.
4. ⓓ 그들은 그 건물이 지역 유산의 중요한 부분이라고 생각한다.

D

1. ⓑ 일기예보에서 오늘 늦게 비가 온다고 했어요.
2. ⓒ 그 아이들은 그 싸움의 무고한 희생자들이다.
3. ⓓ 도시는 심한 눈보라로 마비되었다.

day 12

A

1.	**lunar**	달의	1.	**즐겁게 하다**	entertain
2.	**spacious**	넓은, 널찍한	2.	**조치, 대책**	measure
3.	**command**	명령, 명령하다	3.	**인내**	patience
4.	**slave**	노예	4.	**애국심**	patriotism
5.	**division**	분열	5.	**화학의**	chemical
6.	**oppose**	반대하다	6.	**(물을) 튀기다**	splash
7.	**molecule**	분자	7.	**초원, 목초지**	pasture
8.	**savage**	사나운	8.	**근본적인**	fundamental
9.	**stable**	안정된	9.	**먹이, 사냥감**	prey
10.	**require**	요구하다	10.	**지루한**	boring

B

1.	**lunar**	달의	1.	**인내**	patience
2.	**spacious**	우주의	2.	**기간**	span
3.	**dusk**	해질녘	3.	**분자**	molecule
4.	**division**	분열	4.	**화학의**	chemical
5.	**artificial**	인공의	5.	**~할 수 있는**	capable
6.	**terrify**	무섭게 하다	6.	**야만적인**	savage
7.	**oppose**	반대하다	7.	**안정된**	stable
8.	**fundamental**	근본적인	8.	**목초지**	pasture
9.	**prey**	먹이	9.	**요구하다**	require
10.	**swarm**	(곤충의) 떼	10.	**떼, 무리**	flock

C

1. ⓓ 아이들을 대할 때는 많은 인내심을 가져야 한다.
2. ⓑ 교회가 넓지 않으면 하객 300명을 수용할 수 없을 것이다.
3. ⓐ 아무것도 읽을 게 없이 비행기에 앉아 있으면 지루해요.
4. ⓑ 그들은 파리 중심가에 멋진 아파트를 가지고 있다.

D

1. ⓓ 법률은 모든 사람이 안전벨트를 매도록 규정하고 있다.
2. ⓐ 사나운 토네이도가 부는 동안, 우리는 지하에 있는 피난처를 찾았다.
3. ⓒ 정부는 대기 오염을 줄이기 위한 조치를 취해야 할 것이다.

day 13

A

1.	**cycle**	순환, 주기	1.	**평균의**	average
2.	**aggressive**	공격적인	2.	**세다, 계산하다**	count
3.	**flap**	펄럭거리다	3.	**가려운**	itchy
4.	**consist**	구성되다	4.	**익은**	ripe
5.	**concentrate**	집중하다	5.	**성숙한**	mature
6.	**peel**	(칼로) 깎다	6.	**영양분**	nutrition
7.	**vast**	엄청난, 어마어마한	7.	**식료품점**	grocery
8.	**emphasize**	강조하다	8.	**흩뿌리다**	scatter
9.	**juvenile**	청소년의	9.	**잘게 썰다**	chop, mince
10.	**progress**	전진, 진보	10.	**낮잠**	nap

B

1.	**average**	평균의	1.	**퍼덕거리다**	flap
2.	**consist**	구성하다	2.	**익은**	ripe
3.	**concentrate**	집중하다	3.	**영양(분)**	nutrition
4.	**itchy**	가려운	4.	**성숙한**	mature
5.	**emphasize**	강조하다	5.	**다림질하다**	iron
6.	**grocery**	식료품점	6.	**~인 것 같다**	sound
7.	**tender**	부드러운	7.	**껍질을 벗기다**	peel
8.	**crack**	갈라지다	8.	**감소하다**	decline
9.	**flavor**	맛	9.	**잘게 썰다**	mince
10.	**progress**	전진	10.	**더미**	pile

C

1. ⓒ 우리는 이 문제에 집중할 필요가 있다.
2. ⓑ 그 가게는 31가지의 다른 맛의 아이스크림을 판다.
3. ⓓ 기술적 진보가 지난 몇 년간 너무나 빨리 진행되었다.
4. ⓐ 우리의 충고를 받아들인 람들은 스스로 엄청난 돈을 모았습니다.

D

1. ⓑ 자동차는 여러 가지 다른 부분으로 구성되어 있다.
2. ⓐ 그 출판사는 그 책을 홍보하는데 매우 적극적이었다.
3. ⓓ 그 보고서는 안전 기준의 개선의 중요성을 강조한다.

day 14

A

1.	**perceive**	인지하다, 지각하다	1.	**공연**	performance
2.	**graduate**	졸업하다	2.	**대기**	atmostphere
3.	**constant**	끊임없는, 계속되는	3.	**분쟁**	dispute
4.	**merchant**	상인	4.	**교수**	professor
5.	**commercial**	상업의	5.	**위원회**	board
6.	**mayor**	시장	6.	**불필요한**	unnecessary
7.	**crew**	선원	7.	**수줍은**	shy
8.	**slight**	약간의	8.	**과제, 임무**	assignment
9.	**selfish**	이기적인	9.	**만화**	cartoon
10.	**odd**	이상한	10.	**막다, 좌절시키다**	discourage

B

1.	**constant**	계속되는	1.	**인지하다**	perceive
2.	**uneasy**	불안한	2.	**실업**	unemployment
3.	**merchant**	상인	3.	**상업의**	commercial
4.	**atmosphere**	대기	4.	**공연**	performance
5.	**dispute**	논쟁	5.	**꾸짖다**	scold
6.	**shy**	수줍어하는	6.	**시장**	mayor
7.	**divorce**	이혼	7.	**승무원**	crew
8.	**slight**	약간의	8.	**만화**	cartoon
9.	**assignment**	임무	9.	**이기적인**	selfish
10.	**odd**	이상한	10.	**좌절시키다**	discourage

C

1. ⓑ 그는 특별한 임무로 이탈리아에 갔습니다.
2. ⓓ 신기술이 고용을 위협하는 것으로 인식되었다.
3. ⓐ 나는 어두운 건물에 혼자 있으면 늘 불안해.
4. ⓒ 공사 소음이 이른 아침부터 저녁까지 끊이지 않았다.

D

1. ⓑ 그 분쟁이 평화적으로 해결될 수 있기를 바란다.
2. ⓒ 그녀는 자기 자신 외에는 아무도 생각하지 않는다. 그녀는 완전히 이기적이다.
3. ⓓ 우리는 사람들의 흡연을 단념시키기 위한 캠페인을 시작할 것이다.

day 15

A

1.	**violate**	위반하다	1.	**신용 거래**	credit
2.	**deny**	부인[부정]하다	2.	**회의, 회담**	conference
3.	**voluntary**	자발적인	3.	**투자하다**	invest
4.	**hire**	고용하다	4.	**공식적으로**	formally
5.	**particular**	특별한	5.	**자선(단체)**	charity
6.	**insurance**	보험	6.	**향수**	perfume
7.	**strict**	엄격한	7.	**욕구, 욕망**	desire
8.	**operation**	작동; 수술	8.	**유명인**	celebrity
9.	**potential**	잠재적인	9.	**부정직한**	dishonest
10.	**oxygen**	산소	10.	**부러워하다**	envy

B

1.	**violate**	위반하다	1.	**억제하다**	check
2.	**conference**	회의	2.	**부인하다**	deny
3.	**voluntary**	자발적인	3.	**투자하다**	invest
4.	**hire**	고용하다	4.	**특정한**	particular
5.	**weapon**	무기	5.	**초조해하는**	nervous
6.	**strict**	엄격한	6.	**보험**	insurance
7.	**desire**	욕구	7.	**일, 과제**	task
8.	**sincere**	진정한	8.	**수술**	operation
9.	**oxygen**	산소	9.	**허락하다**	permit
10.	**envy**	부러워하다	10.	**정제, 알약**	tablet

C

1. ⓑ 우리는 이미지 향상에 도움이 될 홍보 컨설턴트를 고용해야한다.
2. ⓒ 우리 부모님은 내가 어릴 때 몹시 엄격하셨다.
3. ⓑ 벌칙으로, 그녀는 어떤 학교 활동에도 참가할 수 없었다.
4. ⓒ 그녀는 허리 수술을 받아야 한다.

D

1. ⓐ 사고가 난 후 다시 운전하는 것이 아주 불안했다.
2. ⓒ 그녀는 회사를 은퇴한 이후 자선단체를 위해 봉사활동을 해왔습니다.
3. ⓑ 운전자는 시내 거리를 질주하면서 제한속도를 계속 위반했다.

day 16

A

1.	**eager**	열망하는	1.	**세균**	germ
2.	**encourage**	격려하다	2.	**통로**	aisle
3.	**launch**	발사하다; 시작하다	3.	**모욕하다**	insult
4.	**greedy**	탐욕스러운	4.	**강의**	lecture
5.	**lonely**	외로운	5.	**비참한**	miserable
6.	**pitiful**	측은한, 불쌍한	6.	**오해하다**	misunderstand
7.	**concept**	개념	7.	**결합하다**	combine
8.	**substance**	물질	8.	**원리, 원칙**	principle
9.	**conversation**	대화	9.	**벙어리의**	dumb
10.	**shrug**	(어깨를) 으쓱하다	10.	**설치하다**	install

B

1.	**eager**	열망하는	1.	**세균**	germ
2.	**aisle**	통로	2.	**모욕하다**	insult
3.	**false**	거짓인	3.	**방해하다**	disturb
4.	**combine**	결합하다	4.	**측은한**	pitiful
5.	**substance**	물질	5.	**전진, 발전**	advance
6.	**concept**	개념	6.	**외로운**	alone
7.	**dawn**	새벽	7.	**원칙**	principle
8.	**conversation**	대화	8.	**발표하다**	annonce
9.	**dumb**	벙어리의	9.	**~인 것 같다**	seem
10.	**install**	설치하다	10.	**확장하다**	expand

C

1. ⓒ 그는 그녀가 일하는 동안 방해받고 싶어 하지 않는다.
2. ⓑ 시드니의 인구는 1960년대에 급격히 증가했다.
3. ⓐ 수용소에 도착하는 난민들은 말하기 안타까운 사연이 있었다.
4. ⓓ 대통령이 주변 사람들로부터 잘못된 정보를 받고 있다는 것은 꽤 명백했다.

D

1. ⓓ 경찰이 그 사건에 대한 조사에 착수할 것이다.
2. ⓒ 그 회사는 지난주에 새 컴퓨터 네트워크를 구축했다.
3. ⓑ 그 새로운 교육 방법은 아이들이 스스로 생각하도록 격려합니다.

day 17

A

1.	**recover**	회복하다	1.	**지위, 신분**	status
2.	**ancestor**	선조, 조상	2.	**방패, 보호하다**	shield
3.	**release**	풀어 주다, 석방하다	3.	**흡수하다**	absorb
4.	**blonde**	금발인	4.	**조리법**	recipe
5.	**racial**	인종의	5.	**심판**	referee
6.	**participate**	참가하다	6.	**자원봉사자**	volunteer
7.	**contagious**	전염성의	7.	**법원, 법정**	court
8.	**adapt**	맞추다, 조정하다	8.	**더 좋아하다**	prefer
9.	**detect**	발견하다	9.	**(나쁜 일을) 겪다**	suffer
10.	**worth**	가치	10.	**(빵의) 한 덩어리**	loaf

B

1.	**status**	상태	1.	**흡수하다**	absorb
2.	**ancestor**	조상	2.	**인종의**	racial
3.	**adopt**	채택하다	3.	**심판**	referee
4.	**loaf**	한 덩어리	4.	**자원봉사자**	volunteer
5.	**declare**	선언하다	5.	**(나쁜 일을) 겪다**	suffer
6.	**contagious**	전염성의	6.	**더 좋아하다**	prefer
7.	**adapt**	적응하다	7.	**가치**	worth
8.	**speeding**	속도위반	8.	**탐지하다**	detect
9.	**strip**	(옷을) 벗다	9.	**법정**	court
10.	**release**	석방하다	10.	**보호하다**	shield

C

1. ⓐ 그녀는 세계 최고의 골프선수가 되겠다는 그녀의 의도를 선포했다.
2. ⓒ 그녀는 태양의 밝은 빛으로부터 민감한 눈을 보호하기 위해 선글라스를 사용한다.
3. ⓓ 그는 자동차 사고로 머리에 부상을 입었다.
4. ⓑ 전염성이 강하니 다른 사람이 수건을 사용하게 하지 마세요.

D

1. ⓑ 어젯밤 경찰 한 명이 칼에 찔려 병원에서 회복 중이었다.
2. ⓐ 의회는 2년간의 논의 후 마침내 그 법을 채택했다.
3. ⓓ 병원은 누가 심장 마비의 위험이 더 높은지 감지할 수 있는 장치를 설치했다.

day 18

A

1.	**compare**	비교하다	1.	**문학**	literature
2.	**dramatic**	극적인	2.	**임무**	mission
3.	**resolve**	해결하다; 결심하다	3.	**만족시키다**	satisfy
4.	**erect**	세우다, 건립하다	4.	**무질서**	disorder
5.	**means**	수단, 방법	5.	**증명하다**	prove
6.	**delight**	기쁨, 즐거움	6.	**긴장, 불안**	tension
7.	**convenient**	편리한	7.	**피하다**	avoid
8.	**evidence**	증거	8.	**회복시키다**	restore
9.	**provide**	공급하다	9.	**단계, 국면**	phase
10.	**individual**	개인; 각각의	10.	**가짜의, 거짓된**	fake

B

1.	**literature**	문학	1.	**비교하다**	compare
2.	**satisfy**	만족시키다	2.	**수단, 방법**	means
3.	**disorder**	무질서	3.	**긴장, 불안**	tension
4.	**restore**	회복시키다	4.	**증거**	evidence
5.	**avoid**	피하다	5.	**기쁨**	delight
6.	**contain**	~이 들어있다	6.	**편리한**	convenient
7.	**feature**	특징	7.	**공급하다**	provide
8.	**fee**	요금	8.	**개인**	individual
9.	**summit**	정상	9.	**임무**	mission
10.	**fake**	가짜의	10.	**비교하다**	compare

C

1. ⓒ 놀이터에 있는 아이들은 기뻐서 소리를 지르고 있었다.
2. ⓓ 그는 우리에게 필요한 돈을 제공해 주었다.
3. ⓒ 그들은 이 호텔에서는 사람들이 흡연하는 것을 허용하지 않습니다.
4. ⓑ 그녀에게 불리한 정황 증거만 있어 유죄가 선고될 가능성은 낮다.

D

1. ⓒ 우리는 가능한 한 빨리 이 문제들을 해결할 방법을 찾아야 한다.
2. ⓓ 조종사들은 재난을 피하기 위해 긴급 조치를 취해야 했다.
3. ⓑ 경찰은 용의자의 지문과 범행 현장에서 발견된 지문을 비교했다.

day 19

A

1.	**ordinary**	평범한, 보통의	1.	**~받을만하다**	deserve
2.	**describe**	묘사하다	2.	**논리적인**	logical
3.	**plain**	분명한, 명백한	3.	**체포하다**	arrest
4.	**thrive**	번창하다	4.	**공화국**	republic
5.	**aware**	~을 알고 있는	5.	**기사, 글**	article
6.	**approach**	접근하다	6.	**초보적인**	elementary
7.	**phenomenon**	현상	7.	**사교적인**	sociable
8.	**composition**	구성(요소); 작곡, 작품	8.	**의도, 목적**	intention
9.	**liberty**	자유	9.	**상상속의**	imaginary
10.	**entire**	전체의	10.	**비상 (사태)**	emergency

B

1.	**associate**	연상하다	1.	**묘사하다**	describe
2.	**republic**	공화국	2.	**평범한**	ordinary
3.	**thrive**	번창하다	3.	**~을 알고 있는**	aware
4.	**elementary**	초보적인	4.	**민주주의**	democracy
5.	**logical**	논리적인	5.	**의사소통하다**	commit
6.	**arrest**	체포하다	6.	**기사, 글**	article
7.	**deserve**	~을 받을만하다	7.	**현상**	phenomenon
8.	**intention**	의도	8.	**몫, 부분**	portion
9.	**liberty**	자유	9.	**사교적인**	sociable
10.	**emergency**	비상사태	10.	**구성(요소)**	component

C

1. ⓐ 나는 갑자기 그가 나를 보고 있는 것을 알게 되었다.
2. ⓒ 그의 사업은 불경기 동안 번창하고 있다.
3. ⓐ 그는 국회의원 선거에 출마할 의사를 밝혔다.
4. ⓑ 우리는 자유와 민주주의를 중시하는 나라에 살고 있습니다.

D

1. ⓑ 우리는 종종 번개와 지진과 같은 자연 현상들을 경험합니다.
2. ⓒ 그들은 열심히 일한 것에 대해 칭찬을 받을 만하다.
3. ⓓ 조종사는 엔진 중 하나가 고장 났을 때 어쩔 수 없이 비상 착륙을 해야 했다.

day 20

A

1.	**tough**	힘든, 어려운	1.	**이상적인**	ideal
2.	**frighten**	겁먹게 하다	2.	**정신적인**	mental
3.	**pretend**	~인 체하다	3.	**실망시키다**	disappoint
4.	**necessary**	필요한	4.	**남용, 오용**	abuse
5.	**complain**	불평하다	5.	**~의 아래**	beneath
6.	**blank**	공백	6.	**불행하게도**	unfortunately
7.	**approve**	찬성하다, 승인하다	7.	**주제, 과목**	subject
8.	**poverty**	가난	8.	**정확한**	precise
9.	**transfer**	갈아타다, 환승하다	9.	**전시회**	exhibition
10.	**interrupt**	방해하다, 중단시키다	10.	**강도**	robber

B

1.	**ideal**	이상적인	1.	**존경하다**	respect
2.	**mental**	정신적인	2.	**힘든, 어려운**	tough
3.	**abuse**	남용	3.	**필요한**	necessary
4.	**disappoint**	실망시키다	4.	**불합리한**	unreasonable
5.	**typical**	전형적인	5.	**불평하다**	complain
6.	**beneath**	~의 아래에	6.	**할인**	discount
7.	**approve**	승인하다	7.	**아주 멋진**	terrific
8.	**poverty**	가난	8.	**주제, 과목**	subject
9.	**precise**	정확한	9.	**중단시키다**	interrupt
10.	**exhibition**	전시회	10.	**빈칸**	blank

C

1. ⓒ 그 무엇도 강하고 용감한 군인을 겁나게 하는 건 없는 것 같았다.
2. ⓒ 우리는 데이비드가 성취한 것에 대해 그를 깊이 존경합니다.
3. ⓐ 사람들이 말하고 있을 때 끼어드는 것은 무례한 일이다.
4. ⓑ 우리는 결코 그의 죽음에 대한 정확한 세부사항들을 알 수 없을 것이다.

D

1. ⓓ 내 고용주가(사장이) 나를 다른 부서로 옮기길 원했다.
2. ⓒ 많은 사람들이 소음에 대해 불평해 왔다.
3. ⓑ 시는 건축 계획을 승인했기 때문에 새 학교에 대한 (건설) 작업이 즉시 시작될 수 있었다.

day **21**

A

1. **temporary** 일시적인
2. **replace** 대체하다
3. **obesity** 비만
4. **various** 다양한
5. **client** 고객, 의뢰인
6. **purpose** 목적
7. **retire** 은퇴하다
8. **explore** 탐험하다
9. **reasonable** 합리적인
10. **protect** 보호하다

1. **권한** authority
2. **기꺼이 ~하는** willing
3. **포식자** predator
4. **사적인** private
5. **전사** warrior
6. **세대** generation
7. **밀가루** flour
8. **오염** pollution
9. **우아한** elegant
10. **감정, 정서** emotion

B

1. **authority** 권한
2. **replace** 대체하다
3. **predator** 포식자
4. **client** 의뢰인
5. **willing** 기꺼이 하는
6. **pollution** 오염
7. **retire** 은퇴하다
8. **invaluable** 매우 귀중한
9. **contaminate** 의사소통하다
10. **instance** 사례

1. **일시적인** temporary
2. **다양한** various
3. **비만** obesity
4. **목적, 의도** purpose
5. **탐험하다** explore
6. **농업** agriculture
7. **합리적인** reasonable
8. **필수적인** vital
9. **보호하다** protect
10. **감정, 정서** emotion

C

1. ⓓ 나는 다양한 종류의 식당에서 식사하는 것을 즐긴다.
2. ⓑ 새로운 리조트의 목적은 더 많은 관광객을 유치하는 것이다.
3. ⓒ 그 회사는 강의 오염에 대한 책임이 없다고 주장한다.
4. ⓐ 그 학교에서는 여러 건의 폭력 사건이 있었다.

D

1. ⓓ 그 강의 물은 화학 물질로 오염되었다.
2. ⓒ 그 정비사는 낡은 기계를 새 기계로 교체했다.
3. ⓑ 당신이 무엇을 하고 싶은지 결정할 때까지 임시직을 고려해 보는 것이 좋을 것이다.

day 22

A

1.	**personality**	성격	1.	**근거, 이유**	ground
2.	**modern**	현대의	2.	**소문**	rumor
3.	**resource**	자원	3.	**괴물**	monster
4.	**competition**	경쟁	4.	**보상(금)**	reward
5.	**pirate**	해적	5.	**영구적인**	permanent
6.	**establish**	확립하다	6.	**임신한**	pregnant
7.	**prohibit**	금지하다	7.	**비율**	proportion
8.	**hardly**	거의 ~아니다	8.	**기회**	opportunity
9.	**remove**	제거하다	9.	**얻다, 입수하다**	obtain
10.	**missing**	실종된, 없어진	10.	**명성**	prestige

B

1.	**personality**	성격	1.	**신청, 지원**	application
2.	**resource**	자원	2.	**근거, 이유**	ground
3.	**sheet**	한 장	3.	**해적**	pirate
4.	**concrete**	구체적인	4.	**양**	quantity
5.	**permanent**	영구적인	5.	**일, 문제**	affair
6.	**competition**	경쟁	6.	**보상**	reward
7.	**frame**	틀, 뼈대	7.	**임신한**	pregnant
8.	**prestige**	명성	8.	**거두다**	reap
9.	**obtain**	입수하다	9.	**기회**	opportunity
10.	**protestor**	시위자	10.	**보석**	jewel

C

1. ⓓ 그들은 현대 정치에서 텔레비전의 역할에 대해 이야기했다.
2. ⓑ 영원한 인간이란 없다.
3. ⓒ 그 회사는 이제 상당한 명성을 얻었다.
4. ⓐ 그녀는 외국에 가서 공부할 기회가 있었습니다.

D

1. ⓑ 시내 중심가에서는 자동차 운행이 금지되어 있다.
2. ⓒ 실크 드레스에서 얼룩을 제거하는 좋은 방법은 무엇일까요?
3. ⓓ 교사는 학생들이 따라야 할 규칙을 정해야 합니다.

day 23

A

1.	**orphan**	고아	1.	**바느질하다**	stitch
2.	**improve**	개선하다	2.	**투쟁하다**	struggle
3.	**relieve**	덜어주다, 완화하다	3.	**부상을 입히다**	wound
4.	**purchase**	구매하다	4.	**거래**	deal
5.	**luggage**	짐	5.	**강요하다**	force
6.	**feather**	깃털	6.	**전략**	strategy
7.	**primitive**	원시의	7.	**정기적인**	regular
8.	**previous**	이전의	8.	**생산적인**	productive
9.	**scholar**	학자	9.	**잘못**	fault
10.	**triumph**	승리	10.	**빼다**	subtract

B

1.	**relieve**	덜어주다	1.	**고아**	orphan
2.	**wheel**	바퀴	2.	**(여행용) 짐**	luggage
3.	**apt**	적당한	3.	**구매하다**	purchase
4.	**regular**	규칙적인	4.	**원시의**	primitive
5.	**strategy**	전략	5.	**이전의**	previous
6.	**overturn**	뒤집다	6.	**강요하다**	force
7.	**conclude**	결론을 내리다	7.	**학자**	scholar
8.	**exact**	정확한	8.	**중세의**	medieval
9.	**triumph**	승리	9.	**빼다**	subtract
10.	**object**	반대하다	10.	**개선하다**	improve

C

1. ⓐ 그는 그 돈으로 첫 집을 샀습니다.
2. ⓓ 그의 상처가 낫는 데 몇 달이 걸렸다.
3. ⓑ 정확한 화재 원인은 아직 조사 중이다.
4. ⓒ 그 야구 경기는 홈팀의 승리로 끝났다.

D

1. ⓑ 이 수술은 그녀의 생존 가능성을 상당히 높일 것이다.
2. ⓐ 그녀는 자신을 도와준 모든 사람들에게 감사하는 것으로 연설을 마쳤다.
3. ⓓ 정부는 보험이 없는 사람들이 진료를 받을 수 있도록 돕는 혁신적인 전략을 개발하고 있다.

day 24

A

1.	**multiply**	곱하다	1.	**예기치 못한**	unexpected
2.	**response**	반응	2.	**책임**	responsibility
3.	**candidate**	후보자, 지원자	3.	**궁극적인**	ultimate
4.	**undergo**	겪다, 경험하다	4.	**정착하다**	settle
5.	**proper**	적당한	5.	**모자대하다, 치료하다**	treat
6.	**hesitate**	주저하다, 망설이다	6.	**청중, 관객**	audience
7.	**apparent**	명백한	7.	**설명하다**	explain
8.	**profit**	수익	8.	**의심**	doubt
9.	**benefit**	이익	9.	**수치, 숫자**	figure
10.	**prosper**	번창하다	10.	**제출하다**	submit

B

1.	**responsibility**	책임	1.	**후보자**	candidate
2.	**ultimate**	궁극적인	2.	**초안**	draft
3.	**vote**	투표하다	3.	**번창하다**	prosper
4.	**cheat**	속이다	4.	**주저하다**	hesitate
5.	**apparent**	명백한	5.	**피신처**	shelter
6.	**document**	문서	6.	**정도**	degree
7.	**figure**	수치	7.	**제출하다**	submit
8.	**sort**	종류	8.	(신원을) **알아보다**	identify
9.	**plenty**	풍부함	9.	**독립된**	independent
10.	**doubt**	의심	10.	**예기치 않은**	unexpected

C

1. ⓐ 당신이 장거리를 걸을 거면 제대로 된 워킹화가 필요해요.
2. ⓒ 우리에게 큰 문제가 있다는 것이 곧 분명해졌다.
3. ⓑ 그는 여전히 최종 결과를 예측할 수 없다고 말했다.
4. ⓓ 그들은 협상을 통해 분쟁을 해결하기로 합의했다.

D

1. ⓐ 그 회사는 그 사고에 대한 어떠한 책임도 부인했다.
2. ⓓ 당신은 1월 1일 전까지 신청서를 제출해야 합니다.
3. ⓑ 가장 작은 아기(갓난아기)도 목소리로 엄마를 알아볼 수 있습니다.

day 25

A

1.	**obvious**	분명한	1.	**소포**	package
2.	**sufficient**	충분한	2.	**(유명인의) 사인**	autograph
3.	**vacant**	비어있는	3.	**면허**	license
4.	**upset**	속상하게 하다	4.	**승객**	passenge
5.	**attempt**	시도	5.	**~할 여유가 있다**	afford
6.	**occupation**	직업	6.	**문장**	sentence
7.	**justice**	정의	7.	**절대적으로**	absolutely
8.	**increase**	증가하다	8.	**야망이 있는**	ambitious
9.	**regret**	후회하다	9.	**부분, 부문**	section
10.	**election**	선거	10.	**문명**	civilization

B

1.	**academic**	학업의	1.	**후회하다**	regret
2.	**depress**	우울하게 하다	2.	**재활용하다**	recyle
3.	**upset**	속상하게 하다	3.	**직업**	occupation
4.	**crime**	범죄	4.	**~을 제외하고**	except
5.	**export**	수입하다	5.	**선거**	election
6.	**ambitious**	야망이 있는	6.	**국제적인**	international
7.	**attempt**	시도	7.	**놀랄만한**	remarkable
8.	**package**	소포	8.	**문명**	civilization
9.	**contrary**	반대의	9.	**우울하게 하다**	depress
10.	**conscious**	의식이 있는	10.	**비어 있는**	vacant

C

1. ⓒ 오염을 줄이는 분명한 방법은 자동차를 덜 이용하는 것이다.
2. ⓑ 나는 여행을 할 수 있는 직업을 찾고 있었어요.
3. ⓓ 그는 세계적인 대기업의 사장이었다.
4. ⓐ 그녀는 첫 번째 시도에서 운전면허 시험에 떨어졌지만 두 번째 시도에서 성공했다.

D

1. ⓐ 그 박물관은 월요일을 제외하고 매일 문을 연다.
2. ⓒ 우리는 아이들을 위해 새 코트를 살 여유가 없었다.
3. ⓑ 아들의 눈부신 학업 성취로 6번의 장학금을 받았습니다.

day 26

A

1.	**analyze**	분석하다	1.	**줄, 끈**	string
2.	**translate**	번역하다	2.	**뒤쫓다**	pursue
3.	**conflict**	충돌, 갈등	3.	**근본적인**	fundamental
4.	**publicize**	널리 알리다, 공표하다	4.	**표면**	surface
5.	**unrealistic**	비현실적인	5.	**기구, 악기**	instrument
6.	**imitate**	흉내내다, 모방하다	6.	**현실적인**	realistic
7.	**destroy**	파괴하다	7.	**주문하다**	order
8.	**attract**	(마음을) 끌다	8.	**지배[통치]하다**	rule
9.	**suspicious**	의심스러운	9.	**인구**	population
10.	**supply**	공급[제공]하다	10.	**그러므로**	consequently

B

1.	**unrealistic**	비현실적인	1.	**분석하다**	analyze
2.	**affection**	애정	2.	**원인**	cause
3.	**consider**	고려하다	3.	**충돌, 갈등**	conflict
4.	**destroy**	파괴하다	4.	**공급**	supply
5.	**radical**	근본적인	5.	**불량배**	bully
6.	**pursue**	추적하다	6.	**표면**	surface
7.	**monitor**	감시하다	7.	**발행하다**	issue
8.	**party**	정당	8.	**실**	thread
9.	**faint**	희미한	9.	**의심스러운**	suspicious
10.	**chase**	추적하다	10.	**번역하다**	translate

C

1. ⓑ 건강한 식단은 필요한 모든 비타민과 미네랄을 공급해야 합니다.
2. ⓓ 그 두 조직 사이에는 근본적인 차이가 있다.
3. ⓒ 그녀는 이모에게 깊은 애정을 가지고 있었다.
4. ⓐ 그와 그의 아버지 사이에 많은 갈등이 있었다.

D

1. ⓓ 폭설로 도시의 교통 시스템이 마비되었습니다.
2. ⓐ 작가는 영어책을 한국어로 번역했다.
3. ⓒ 연구자들은 연구 결과를 분석하느라 바쁘다.

day 27

A

1.	**explode**	폭발하다	1.	**깨지기 쉬운**	fragile
2.	**considerable**	상당한	2.	**중독**	addiction
3.	**ingredient**	재료, 성분	3.	**상기시키다**	remind
4.	**clumsy**	서투른	4.	**방향**	direction
5.	**efficient**	효율적인	5.	**도망치다**	escape
6.	**impact**	영향, 충격	6.	**정부**	government
7.	**guilty**	유죄인	7.	**매혹하다**	fascinate
8.	**crucial**	중대한	8.	**친숙한**	familiar
9.	**favorable**	호의적인	9.	**짐, 부담**	burden
10.	**interfere**	간섭하다	10.	**혁신하다**	innovate

B

1.	**considerable**	상당한	1.	**~동안 내내**	throughout
2.	**conquer**	정복하다	2.	**상기시키다**	remind
3.	**determine**	결정하다	3.	**효율적인**	efficient
4.	**experience**	경험	4.	**짐, 부담**	burden
5.	**clumsy**	서투른	5.	**~에 맞추다**	adjust
6.	**government**	정부	6.	**충격, 영향**	impact
7.	**fascinate**	매혹시키다	7.	**선택하다**	select
8.	**crucial**	중대한	8.	**유죄인**	guilty
9.	**innovate**	혁신하다	9.	**간섭하다**	interfere
10.	**fragile**	깨지기 쉬운	10.	**재료, 성분**	ingredient

C

1. ⓓ 정부는 모든 공공 건물에서 흡연을 금지했다.
2. ⓐ 이 전시회에는 상당한 시간과 노력이 들어갔다.
3. ⓒ 그 부자는 자선단체에 10,000달러를 기부했다.
4. ⓑ 금연 캠페인은 젊은이들에게 영향을 끼쳤다.

D

1. ⓐ 우리는 더 효율적인 유통망을 개발함으로써 비용을 줄일 수 있다.
2. ⓑ 규칙적인 운동은 건강에 많은 이로운 효과가 있습니다.
3. ⓓ 다른 사람의 관계에 간섭하는 것은 늘 실수다.

day 28

A

1.	**fake**	가짜의	1.	**부화하다**	hatch
2.	**curiosity**	호기심	2.	**외교관**	diplomat
3.	**extinguish**	불 끄다, 소화하다	3.	**대신에**	instead
4.	**budget**	예산	4.	**측면**	aspect
5.	**flaw**	결함, 결점	5.	**절망**	despair
6.	**ambiguous**	애매한	6.	**편견**	bias
7.	**gradual**	점진적인, 점차적인	7.	**청소년**	juvenile
8.	**method**	방법	8.	**상담 받다**	consult
9.	**endeavor**	노력	9.	**아껴 쓰다**	conserve
10.	**editor**	편집자	10.	**향수**	fragrance

B

1.	**crash**	사고	1.	**편견**	bias
2.	**inventive**	창의적인	2.	**외교관**	diplomat
3.	**eventually**	결국	3.	**싸우다**	combat
4.	**flaw**	결함	4.	**예산**	budget
5.	**despair**	절망	5.	**상담 받다**	consult
6.	**survive**	생존하다	6.	**자원**	resource
7.	**adolescent**	청소년	7.	**가짜의**	fake
8.	**aspect**	측면	8.	**높이**	height
9.	**arrow**	화살	9.	**동시대의**	contemporary
10.	**endeavor**	노력	10.	**적대적인**	hostile

C

1. ⓓ 애매한 문제 때문에 정답을 고르기가 어려웠다.
2. ⓒ 불을 끄는 데 약 50분이 걸렸다.
3. ⓓ 북극을 걸어서 횡단한 것은 인간의 노력의 놀라운 결과였습니다.
4. ⓑ 선생님의 말씀을 잘 알아듣기 힘들었고, 나는 결국 집중력이 떨어졌다.

D

1. ⓐ 그는 위조 여권 소지 혐의로 기소되었다.
2. ⓒ 전기를 절약하기 위해 우리는 난방을 줄이고 있다.
3. ⓑ 노동자들이 절망스럽게도 회사는 공장 폐쇄를 발표했다.

day 29

A

1.	**existence**	존재	1.	**잔인한**	cruel
2.	**advent**	도래	2.	**개발시키다**	develop
3.	**enable**	~할 수 있게 하다	3.	**지연시키다**	delay
4.	**architecture**	건축	4.	**관찰하다**	observe
5.	**discuss**	논의하다	5.	**기후**	climate
6.	**enormous**	엄청난, 거대한	6.	**거절하다**	refuse
7.	**generous**	후한, 너그러운	7.	**근절하다**	eradicate
8.	**enthusiastic**	열정적인	8.	**소질, 적성**	aptitude
9.	**justify**	정당화하다	9.	**양심**	conscience
10.	**departure**	출발(지)	10.	**기부하다**	donate

B

1.	**companion**	친구	1.	**참석하다**	attend
2.	**discriminate**	구별하다	2.	**구별되는**	distinct
3.	**eradicate**	근절하다	3.	**방해하다**	hinder
4.	**enthusiastic**	열정적인	4.	**도래**	advent
5.	**cruel**	잔인한	5.	**건축**	architecture
6.	**generous**	후한	6.	**거절하다**	refuse
7.	**secretary**	비서	7.	**출발(지)**	departure
8.	**cherish**	간직하다	8.	**양심**	conscience
9.	**alternative**	대안	9.	**알뜰한**	economical
10.	**convey**	운반하다	10.	**정당화하다**	justify

C

1. ⓓ 결혼으로, 남자는(신랑은) 그의 아내를 소중히 여길 것이라 약속한다.
2. ⓑ 우리는 막대한 비용이 들기 때문에 그 프로젝트를 맡지 않기로 했다.
3. ⓒ 강풍으로 인해 소방관들이 화재를 진압하는 데 어려움을 겪고 있다.
4. ⓐ 그 회사의 모든 직원들이 그 프로젝트에 열광하고 있습니다.

D

1. ⓓ 요즘 의사들은 대체의학에 대해 더 개방적인 경향이 있다.
2. ⓒ 정부는 부패를 뿌리 뽑기 위해, 할 수 있는 일은 다 하고 있다고 주장한다.
3. ⓐ 우리 모두가 회의에 참석할 필요는 없다고 생각한다.

day 30

A

1.	**revolution**	혁명	1.	**비난하다**	criticize
2.	**prevent**	막다, 예방하다	2.	**(일시) 중지**	pause
3.	**compete**	경쟁하다	3.	**걱정하는**	anxious
4.	**cope**	대처하다	4.	**벌금**	fine
5.	**suppose**	추측하다	5.	**비슷한**	similar
6.	**depend**	의지하다	6.	**고백하다**	confess
7.	**applaud**	박수갈채하다	7.	**확인하다**	confirm
8.	**authentic**	진품인	8.	**인내하다**	endure
9.	**humid**	습한	9.	**국경**	frontire
10.	**massive**	거대한	10.	**동향, 추세**	trend

B

1.	**capacity**	능력	1.	(일이) **발생하다**	occur
2.	**certify**	증명하다	2.	**경쟁하다**	compete
3.	**confirm**	확인하다	3.	**진품인**	authentic
4.	**legal**	합법적인	4.	**예방하다**	prevent
5.	**mature**	성숙한	5.	**추측하다**	suppose
6.	**maintain**	유지하다	6.	**진짜의**	genuine
7.	**authentic**	진품인	7.	**혁명**	revolution
8.	**frustrate**	좌절시키다	8.	**인내하다**	endure
9.	**frontier**	국경	9.	**수동의**	manual
10.	**criticize**	비난하다	10.	**고백하다**	confess

C

1. ⓑ 운전자는 현장에서 사망한 것으로 판명되었다.
2. ⓐ 그녀는 항상 가난한 사람들에게 진심 어린 관심을 보여 왔다.
3. ⓒ 그녀는 항상 가난한 사람들에게 진심 어린 관심을 보여 왔다.
4. ⓑ 그 사고는 많은 학생들이 학교에 있는 동안 발생했다.

D

1. ⓐ 그는 더 이상 부모님에게 돈을 의지하지 않는다.
2. ⓓ 그는 다리 부상으로 내일 경기에 출전하지 못할 수도 있다.
3. ⓑ 내 아이디어 중 어느 것도 실행에 옮길 수 없다는 것이 나를 좌절시킨다.

index 색인